Polish Verse

Strofy polskie

Bear now my soul...
Polish Verse

Przenoś moją duszę
Strofy polskie

New, enlarged and illustrated Edition

Translated by
NOEL CLARK

Illustrations by
NICOLA CLARK

London 2001
Veritas Foundation Publication Centre

First published by *Ossolineum*, Wrocław 1997

New, enlarged and illustrated edition
Veritas Foundation Publication Centre

ISBN 0 948202 93 9

Published with the financial help of the
Polonia Aid Foundation Trust

Acknowledgment

The Polish translation of Noel Clark's English introduction appears by agreement with the *Ossolineum* Publishing House, Wrocław.
Special thanks are due to *Oberon Books Ltd.,* London, for allowing us to reprint extracts from the full English versions of Fredro's *Revenge, Virgins' Vows* and *The Annuity (*one volume ISBN 0 948230) as well as *Wesele - The Wedding* by *St. Wyspiański* (ISBN 1 840020415); also to Mrs Barbara Folta for her sterling work connected with the publication in Wrocław of the extract we use from *The Battle of Racławice* by T. Lenartowicz.
We are equally indebted to the following copyright holders - Włada Majewska, Grzegorz Wierzyński, the Baliński Estate and Mrs. Janta-Połczyński.

Veritas Foundation Publication Centre
63 Jeddo Road, London W12 9EE, U.K.
Tel: (020) 8749 4957; Email: Veritas@polish.co.uk
Printed in Great Britain

PRZEDMOWA

Tłumaczenia-zamieszczone w tym tomiku są owocem amatorskich poszukiwań pośród bogactwa polskiej literatury, którą poznawałem, usiłując nauczyć się języka polskiego i dowiedzieć się czegoś o samych Polakach. Na wiele utworów zwrócili mi uwagę moi polscy przyjaciele jeszcze przed pięćdziesięciu laty.

Kalinę Teofila Lenartowicza (1822-1893) i *Dzieciństwo* Leopolda Staffa (1878-1957) napotkałem w książce *A New Polish Grammar* Józefa Andrzeja Teslara (Edinburgh-London 1941), która do dziś jest moim ulubionym podręcznikiem. Część utworów znajdowałem na łamach *Wiadomości Polskich*, ukazujących się w Londynie podczas wojny. Inne z kolei, w tym *Bitwę Racławicką* Lenartowicza, odkryłem w Książnicy Polskiej, wydawanej w latach wojennych w Londynie przez Mieczysława Grydzewskiego, którego obszerny zbiór pt. *Wiersze polskie wybrane. Antologia poezji od "Bogurodzicy" do chwili obecnej* (Londyn 1946) stał się dla mnie podstawową publikacją źródłową.

Z oczywistych przyczyn na czołowym miejscu pośród moich przekładów znalazła się *Bogurodzica*, najwcześniejszy utwór w języku polskim, śpiewana jako hymn przez rycerzy pod Grunwaldem w 1410 r. Jest to jej fragment oparty na tekście z publikacji *Najdawniejsze zabytki języka polskiego* w opracowaniu prof. Witolda Taszyckiego (Wrocław 1967). Jeden z ostatnich wierszy w moim zbiorze to *Trzeci rok* Henryka Lipki-Lipczyńskiego, opublikowany w jedynym znanym tomiku tego poety pt. *Brzozy*, wydanym w 1943 r. w Nicei, przez oficynę słynnego drukarza Samuela Tyszkiewicza. W tym samym roku wiersz ten ukazał się w Londynie w "Wiadomościach Polskich", gdzie natknąłem się nań po raz pierwszy i postanowiłem go przetłumaczyć. W jaki sposób dotarł on do Londynu w czasie wojny z okupowanej przez Niemców Francji? Czyżby autor posługiwał się pseudonimem? Mimo wielu poszukiwań biografia poety pozostaje nie znana. Przekład *Trzeciego roku* jest hołdem, który składam tym niezliczonym polskim Nieznanym Poetom II wojny światowej.

Strofy polskie/Polish Verse

Poświęcam czas wolny na tłumaczenie poezji, wielokrotnie też spotykam się z pytaniem stawianym mi przez studentów podczas moich sporadycznych wizyt w Polsce, dlaczego wolę tłumaczyć klasyków. Nawet jeśli tak jest w istocie, nie znaczy to, bym nie cenił współczesnych, włącznie z eksperymentującymi autorami, którzy są potrzebni przyszłości poezji w takim samym stopniu, jak to było w wypadku ich poprzedników - nowatorskich poetów przeszłości. Jakaż byłaby bowiem polska literatura bez Kochanowskiego (1530-1584) albo literatura angielska bez Chaucera (1340-1400), nie mówiąc już o Szekspirze (1564-1615)?

W swym wierszu *Do młodych* Adam Asnyk (1838-1897), pisząc wprawdzie w zupełnie innym kontekście, wyraził w piękny sposób to, co ja sam sądzę o stosunku między dawnym a nowym:

Ale nie depczcie przeszłości ołtarzy,
Choć macie sami doskonalsze wznieść;
Na nich się jeszcze święty ogień żarzy
I miłość ludzka stoi tam na straży,
I wy winniście im cześć!

Mój zbiór nie pretenduje do tego, by odzwierciedlić całą 600-letnią historię literatury polskiej. Brakuje w nim wielu znakomitych nazwisk, jak choćby Zygmunta Krasińskiego (1812-1859), Cypriana Norwida (1821-1883), Czesława Miłosza (ur. 1911), Wisławy Szymborskiej (ur. 1923) i Zbigniewa Herberta (1924-1998). Stało się tak dlatego, że po prostu w wielu wypadkach istnieją już dobre, a niekiedy wręcz znakomite angielskie przekłady utworów tych poetów. Z kolei poeci uważani na ogół za mniej znaczących znaleźli dla siebie miejsce w tym zbiorze, ponieważ gdy zetknąłem się z ich twórczością, uznałem ją za interesującą.

Staram się być ostrożnym w wyborze utworów do tłumczenia. Wiersz musi mnie w jakiś sposób poruszyć, zanim zacznę zastanawiać się nad jego przekładem. W każdym razie mam świadomość tego, że oddziaływanie konkretnego wiersza na mnie jest z pewnością inne niż na rodowitego Polaka, którego bagaż kulturowy i doświadczenia literackie różnią się od moich własnych.

Problemem poezji współczesnej, zwłaszcza gdy chodzi o utwory w języku obcym, jest zawsze konieczność rozstrzygania, czy coś jest, czy też nie jest poezją oraz jak długi będzie żywot danego utworu. Nawet rodzi-mi czytelnicy mogą przecież różnić się w ocenach. Ten sam wiersz bywa też często dyskwalifikowany przez jednego krytyka, uznającego go za byle jakie potraktowanie niedopracowanego pomysłu, przez innego natomiast może być postrzegany jako śmiała, nowatorska próba uchwycenia oryginalnego spojrzenia.

Jak cudzoziemiec ma mieć pewność, że jego odbiór utworu jest właściwy? Cóż może go w nim pociągać: rytm, rym, bądź bogactwo nietypowego słownictwa, a może taka satysfakcja, jaką odczuwa lingwista, poznając znaczenie danego idiomu? Natomiast reakcja czytelnika - słuszna czy też niesłuszna - może być sama w sobie nagrodą. Na przykład utwór irlandzkiego poety Tomasza Moore'a (1779-1852) pt. *The Meeting of the Waters* może uchodzić dzisiaj za sentymentalną balladę XIX-wieczną, najlepszą w swej śpiewanej postaci. A jednak ujęła ona tak wielkiego poetę jak Adam Mickiewicz, który przełożył ją na polski:

Czyż jest na świecie tak miłe ustronie
Jak dolina, idzie jasne zlewają się zdroje...

Być może jestem niesprawiedliwy, jeśli idzie o Moore'a. Za życia był przecież uznanym narodowym wieszczem Irlandii i współczesnym Mickiewiczowi. Ponieważ jednak brakuje mi Mickiewiczowskiej pewności siebie, wolę nie mieć żadnych wątpliwości - o ile to w ogóle możliwe - zanim zabiorę się do czasochłonnej pracy tłumaczeniowej, która niezależnie od wszystkiego jest moim ulubionym zajęciem. Pisze się w końcu po to, by być czytanym.

Kiedy wiem, że wiersz, który mi się podoba, został już zamieszczony w antologiach, to mam w miarę pewną wskazówkę. Tak samo dodaje mi pewności fakt, że pośród poezji nadawanych przez radio na prośbę słuchaczy dominują na ogół - tak jest przynajmniej w Wielkiej Brytanii - utwory dawne, pamiętane jeszcze z czasów szkolnych, mające rytm i rym. Pozwala to zakładać odbiorców zainteresowanych utworami poetyckimi, które przeszły próbę czasu i pamięci i nadal są atrakcyjne tak pod względem warsztatowym, jak i artystycznym. Można więc się spodziewać, że utwory tego rodzaju - nawet w tłumaczeniu - będą w stanie wzbudzić szersze zaciekawienie kulturą i historią innego narodu.

Spośród polskich autorów, których utwory znalazły się w tym zbiorze, jestem szczególnie przywiązany do Aleksandra Fredry (1793-1876), uchodzącego za ojca polskiej komedii. Przed laty, po pierwszej lekturze jego napisanej wierszem komedii *Zemsta* byłem od razu pewien - ulegając wpływowi jego humoru - że jest to główny polski pisarz, którego utwory mogą cieszyć czytelników w innych krajach, nie będąc przy tym niezrozumiałymi, jak to się często dzieje, z powodu niezbyt dokładnej znajomości złożonej historii Polski. Fredrę interesuje natura ludzka, dlatego też jego sztuka jest czy, też powinna być czytelna dla szerszej publiczności.

Utwory zamieszczone w tym tomiku wyrażają różne stany emocjonalne - od nostalgii i nadziei po tryumf i egzaltację; jedne opiewają piękno polskiego krajobrazu, inne - radości i tragedie miłości. Są w nich silne akcenty patriotyczne, wiary religijnej i przywiązania do ideałów wolności i sprawiedliwości. Inne są natomiast mniej znaczącymi wytworami rozumu bądź wyobraźni. Niektóre z tych utworów odbiegają od rodzaju twórczości, z jakiego ich autorzy są najbardziej znani. Wszystkie jednak mają swój polski rodowód, przynależąc do rozległej tradycji kultury europejskiej, do której wnieśli tak bogaty wkład zarówno polscy, jak i brytyjscy pisarze.

Jestem wdzięczny za pomoc i wsparcie Tomaszowi Wachowiakowi z wydawnictwa Veritas Foundation Publication Centre, którego entuzjazm i edytorskie natchnienie tak silnie zaważyło w realizaji tego ilustrowanego wydania , oraz polskim przyjaciołom, zbyt licznym, bym zdołał ich tutaj wszystkich wymienić. W związku z moim hobby, które stało się trwałą pasją, mam szczególny dług wobec pierwszego spotkanego przeze mnie Polaka - majora Ferdynanda Buchty VM, który w 1942 r. w Anglii zachęcał mnie do nauki języka polskiego, mówiąc: "Mamy przecież wspaniałą literaturę, która czeka na odkrycie".

Londyn w marcu 2001
Noel Clark

FOREWORD

These translations are the fruits of an amateur's exploration of the riches of Polish literature, while attempting to learn the language and something about the Poles themselves. Many of the poems were brought to my attention by Polish friends, some more than half a century ago.

Kalina (The Guelder Rose) by Teofil Lenartowicz (1822-1893) and *Dziecińistwo (Childhood)* by Leopold Staff (1878-1957) I found in Józef Andrzej Teslar's *New Polish Grammar* (Edinburgh-London 1941) - my cherished companion to this day. Some I culled from the pages of *Wiadomości Polskie*, published in war-time London. Others, including *Bitwa Racławicka (The Battle of Racławice)* by Lenartowicz, I found in the war-time series 'Książnica Narodowa', edited in London by Mieczysław Grydzewski, whose comprehensive anthology, *Wiersze polskie wybrane. Antologia poezji od "Bogurodzicy" do chwili obecnej* (London 1946), became a major source.

I give pride of place to *Bogurodzica (Godes Moder)* - the earliest poem in the Polish language - sung, as a hymn by the Polish Knights at the battle of Grunwald in 1410. This is an extract based on the text contained in *Najdawniejsze zabytki języka polskiego*, edited by Professor Witold Taszycki (Wrocław 1967). One of the last poems in my collection, *Trzeci rok (The Third Year)* by Henryk Lipko-Lipczyński, was included in the poet's only known collection of verse, *Brzozy*, published by the private press of the celebrated typographer, Samuel Tyszkiewicz at Nice in 1943. The same year, the poem appeared the *Wiadomości Polskie* in London, which was where I first saw it and was moved to translate it. How did the poem reach London in war-time from German-occupied France? Did the author use a pen-name? Despite much research, the poet's biography remains a blank. I offer the translation of *Trzeci rok* as a tribute to the countless Polish "Unknown Poets" of World War II.

As a spare-time translator of verse, on occasional visits to Poland, I have been asked more than once by students, why I seem to prefer translating "classics". If so, I intend no disrespect to the "moderns", including experimental writers, who are doubtless as necessary now to the future of poetry, as were their predecessors - the innovative poets of the past. Where, after all, would Polish literature be today without Jan Kochanowski (1530-1584) - or English literature without Chaucer (1340-1400), let alone Shakespeare (1564-1615)?

Though writing in another context, Adam Asnyk (1838-1897), in his poem *Do młodych (To the Young)*, expressed pretty much what I feel about the relationship of "old" to "new":

But trample not the altars of the dead,
Though you yourselves may even finer lay -
Yet on them burns the sacred fire as red,
And Man's regard stands watchful at their head:
To them your homage pay!

My collection makes no claim to reflect the full scope and span of Poland's 600-year literary tradition. Many illustrious names are missing. To cite only a few: Zygmunt Krasiński (1812-1859), Cyprian Norwid (1821-1883), Czesław Miłosz (born 1911), Wisława Szymborska (born 1923) and Zbigniew Herbert (1924-1998). In some cases, this is because good, sometimes excellent, English translations of their works already exist. On the other hand, some authors generally held to be of lesser merit, are included because I chanced upon their work and found it appealing.

In choosing what to translate, I admit to being rather cautious. I need to be moved in some way by a poem before I even think about translation. Even so, I remain aware that the signals or stimuli transmitted to me by the poem in question are almost certain to differ from those received by a native speaker of the language, whose cultural background and literary experience differ from my own.

How is a foreigner to be sure that he is not reacting favourably for the wrong reasons? Has he been carried away by the rhythm, the rhyme, the seeming richness of an unfamiliar vocabulary or even by a linguist's flush of self-satisfaction at having understood the idiom? Perhaps, after all, it doesn't really matter. The reader's response - justified or not - may be its own reward. Nowadays, *The Meeting of the Waters,* a poem by the Irish writer, Thomas Moore (1779-1852), may seem no more than a sentimental 19th century ballad, the better for being set to music. Yet as great a poet as Adam Mickiewicz was moved to translate it into Polish.

There is not in the wide world a valley so sweet
As that vale in whose bosom the bright waters meet...

Perhaps I am unfair to Moore. In his day, he was the acknowledged national bard of Ireland and the Polish poet's exact contemporary. Lacking the self-confidence of Mickiewicz, I prefer when possible, to be reassured before committing myself to the time-consuming labour of translation - labour of love though it be. One writes to be read, after all.

If a poem which I like has found its way into the anthologies, I feel on fairly safe ground. Equally, I am encouraged by the fact that - in Britain at least - poems broadcast at the request of radio listeners - are almost always old favourites, half-remembered from schooldays - poems that rhyme and scan. This suggests an intelligent audience for poetry that has stood the test of time and memory and whose continuing appeal may often derive as much from craftsmanship as inspiration. It is perhaps not too much to hope that poems in this category - even in translation - may be capable still of arousing sympathetic interest in the culture and history of Poland.

Among Polish poets who figure in this collection, Aleksander Count Fredro (1793-1876) - known as the Father of Polish Comedy - has a special claim to my affection. Years ago, on first reading his verse comedy *Zemsta (Revenge)* I was convinced by the impact of his humour on myself, that here was a major Polish writer whose works the rest of the world could enjoy without being baffled - as is often the case - by comparative ignorance of Poland's complex history. Human nature is what interests Fredro, which is precisely why his art is, or should be, readily accessible to a far wider audience.

The poems translated here spring from a variety of moods ranging from nostalgia and hope to triumph and exaltation; some celebrate the beauties of the Polish countryside; others the joys and miseries of love. There are powerful expressions of patriotism, religious faith and invincible loyalty to the ideals of freedom and justice. Others are minor gems of wit or whimsy. Some are far from typical of the work for which their authors are best remembered. But all have in common their Polish paternity, while belonging to that broader European cultural tradition to which both Polish and British writers have so richly contributed.

For help and encouragement I am grateful to my publisher, Tomasz Wachowiak of Veritas Foundation Publication Centre whose enthusiasm and editorial inspiration have counted for so much in the development of this illustrated edition and to Polish friends too numerous to mention. For a hobby of enduring fascination, I am especially indebted to the first Pole I ever met, Major Ferdynand Buchta VM, who, in England in 1942, urged me to try to learn Polish "because we have a beautiful literature waiting to be discovered."

London, March 2001
Noel Clark

Contents

Spis treści

SPIS TREŚCI

Przedmowa 5

Bogurodzica (Fragmenty) 22
Jan KOCHANOWSKI 27
Do Jadwigi 28
Dzbanie mój pisany *30*
Serce roście 32
Ignacy KRASICKI 35
Czapla, ryby i rak 36
Aleksander FREDRO 41
Dożywocie (Fragment) 42
[Kat i łotr] 46
Kos i dzierlatka 48
Śluby panieńskie (Fragment) 50
Zemsta (Fragmenty) 54
Adam MICKIEWICZ 61
Grażyna (Fragment) 62
Pan Tadeusz (Fragmenty) 64
Bohdan ZALESKI 75
U nas inaczej 80
Wyjazd bez powrotu 84
Juliusz SŁOWACKI 89
Hymn 90
Pośród niesnasków Pan Bóg uderza 94
[Rozmowa z piramidami] 98
Teofil LENARTOWICZ 103
Anioł i dziewczyna 104
Bitwa racławicka (Fragmenty) .106
Cyganka 110
Jaskółka 114
Kalina 116

CONTENTS

Foreword. 11

Godes Moder (Extracts) 23
Jan KOCHANOWSKI 27
To Jadwiga 29
Pitcher be praised.... 31
The heart swells.... 33
Ignacy KRASICKI 35
The Heron, the Fishes and the Crayfish 37
Aleksander FREDRO 41
The Annuity (Extract) 43
[The Hangman and the Villain] 47
The Blackbird and the Lark 49
Virgins' Vows (Extract) 51
Revenge (Extracts) 55
Adam MICKIEWICZ 61
Grażyna (Extract) 63
Pan Tadeusz (Extracts) 65
Bohdan ZALESKI 75
So Different 81
Journey without Return 85
Juliusz SŁOWACKI 89
Hymn 91
Our Slavic Pope 95
[Conversation with the Pyramids] 99
Teofil LENARTOWICZ 103
The Angel and the Maiden 105
The Battle of Racławice (Extract) 107
The Gypsy 111
The Swallow 115
Kalina 117

Mikołaj RODOĆ . . . 119
Bezstronność polityczna . . . 120
Adam ASNYK . . . 123
Daremne żale . . . 124
Do młodych . . . 126
Limba . . . 128
Na dzieci spada... . . . *130*
Ulewa . . . 132
SZCZĘSNA (Józefa BĄKOWSKA) . . . 135
List . . . 136
Kazimierz PRZERWA-TETMAJER . . . 139
Ku mej kołysce leciał od Tatr... . . . *140*
Pod Portici . . . 142
W Zatoce Neapolitańskiej . . . 144
Z daleka patrzą . . . *146*
Stanisław WYSPIAŃSKI . . . 149
Wesele (Fragment) . . . 150
Lucjan RYDEL . . . 155
Wiatry zwiały... . . . *156*
Tadeusz MICIŃSKI . . . 159
Kiedy cię moje oplotą sny... . . . 160
Nokturn . . . 162
W Himalajach . . . 164
Leopold STAFF . . . 167
Dzieciństwo . . . 168
Józef MĄCZKA . . . 171
Matuli mojej (Fragment) . . . 172
Maria PAWLIKOWSKA-JASNORZEWSKA . . . 175
Najpiękniejszy sen . . . 176
Kazimierz WIERZYŃSKI . . . 181
Szumi w mej głowie . . . 182
Antoni SŁONIMSKI . . . 185
Nike spod Samotraki . . . 186
Jan LECHOŃ . . . 189
Legenda . . . 190
Stanisław BALIŃSKI . . . 193
Druga ojczyzna . . . 194
Kolęda warszawska 1939 . . . 196

Mikołaj RODOĆ 119
Political Impartiality 121
Adam ASNYK 123
In Vain We Sorrow 125
To the Young 127
The Stone-pine 129
Upon the children weighs... . . . .*131*
Rainstorm 133
SZCZĘSNA (Józefa BĄKOWSKA) 135
The Letter 137
Kazimierz PRZERWA-TETMAJER 139
To my cradle from the Tatras... . . . .*141*
Off Portici 143
In the Gulf of Naples 145
From far off.... . . . .*147*
Stanisław WYSPIAŃSKI 149
The Wedding (Extract) 151
Lucjan RYDEL 155
Winds have put to flight... . . . .*157*
Tadeusz MICIŃSKI 159
When my dreams.... 161
Nocturne 163
In the Himalayas 164
Leopold STAFF 167
Childhood 169
Józef MĄCZKA 171
To My Mother (Extract) 173
Maria PAWLIKOWSKA-JASNORZEWSKA 175
My Loveliest Dream 177
Kazimierz WIERZYŃSKI 181
My Head Is Rustling 183
Antoni SŁONIMSKI 185
Nike of Samothrace 187
Jan LECHOŃ 189
Legend 191
Stanisław BALIŃSKI 193
Second Home 195
Warsaw Carol 1939 197

Ostatnia melodia 1940 198
Po latach 200
Pożegnanie 202
Smutny młodzieniec 204
Marian HEMAR 209
Kosmopolita (Fragment) 210
Pomnik. Na wysiedlenie Fredry ze Lwowa do Wrocławia 212
Janusz MEISSNER 217
Ostatnich pięciu 218
Aleksander JANTA-POŁCZYŃSKI 229
Ściana milczenia 230
Henryk LIPKO-LIPCZYŃSKI 233
Trzeci rok 234
Marta RESZCZYŃSKA-STYPIŃSKA 239
Oświęcim 240
Zakładnicy 244
W Wielkopolsce 248
Legenda o Matce Boskiej 250

The Last Melody 1940 199
Years after 201
Farewell 203
The Sorrowful Youth 205
Marian HEMAR 207
The Cosmopolitan (Extract) 209
Memorial. Fredro's Migration from Lvov to Wrocław 212
Janusz MEISSNER 217
The last Five 219
Aleksander JANTA-POŁCZYŃSKI 229
The Wall of Silence 231
Henryk LIPKO-LIPCZYŃSKI 233
The Third Year 235
Marta RESZCZYŃSKA-STYPIŃSKA 239
Auschwitz 241
Hostages 245
In Wielkopolska 249
Legend of Mary, the Mother of God 251

Przekłady

Translations

BOGURODZICA
Fragmenty

[1]
Bogurodzica, dziewica, Bogiem sławiena,Maryja!
Twego Syna, Gospodzina, matko zwolena, Maryja,
Zyszczy nam, spuści nam.
Kiryjelejzon.

[2]
Twego dziela krzciciela, Bożyce,
Usłysz głosy, napełń myśli człowiecze.
Słysz modlitwę, jąż nosimy,
A dać raczy, jegoż prosimy,
A na świecie zbożny pobyt,
Po żywocie rajski przebyt.
Kiryjelejzon.

[3]
Nas dla wstał z martwych Syn Boży,
Wierzyż w to człowiecze zbożny,
Iż przez trud Bog swoj lud odjął djablej strożej.

[4]
Przydał nam zdrowia wiecznego,
Starostę skował pkielnego.
Śmierć podjął, wspomionął człowieka pirzwego.

[5]
Jenże trudy cirzpiał zawierne,
Jeszcze był nie prześpiał zaśmierne,
Aliż sam Bog z martwych wstał.

GODES MODER
Extracts

[1]
Virgin meke, Godes moder eke, Ladye blissid, Maria
Thi Son sende us to defende, Moder of Crist, Maria
Be oure helpe and oure socour.
Kyrie eleison

[2]
For Baptist bon, Godes Son,
Enspire the thinkynge of echon.
Herkne preyeres that we speken,
Yif us grace, we The biseken,
Heer on erth to dwelle in pees
And life anon in Paradys.
Kyrie eleison

[3]
Godes Son for us from deed aroos,
Which Cristen wight moot certes stond,
So by his peyne did Crist sosteyne us from the fyndes bond.

[4}
Lyf perdurable for us he won,
Helles maister put he fetters on,
Deeth He endured, so secured Adam which mankynde bigon.

[5]
This soufrance in humilitee He bar,
Ne sleep eternally,
For that Godself it wer that roos.

[6]
Adamie, ty Boży kmieciu,
Ty siedzisz u Boga w wiecu.
Domieściż twe dzieci, gdzie krolują anjeli.

[7]
Tegoż nas domieściż, Jezu Chryste miły,
Bychom z tobą byli,
Gdzie się nam darują.swe niebieskie siły.
[...........................]

[10]
Ciebie dla, człowiecze, dał Bóg przekłoć sobie
Ręce, nodze obie,
Kry święta szła z boka na zbawienie tobie.

Najdawniejsza pieśń polska, śpiewana przez rycerzy polskich i litewskich przed ich zwycięską bitwą z zakonem krzyżackim pod Grunwaldem w 1410 r.

[6]
Adam, which Godes freeman art,
That in His counseils taketh part,
Let thu thi children al regayne, where aungils han thir reyne.

[7]
Swete Jhesu Crist, herkne oure plees
For that with The we bide
Where yeven hevene powers oure hertes ese.
[...............................]

[10]
Man, for love of the, oure Lord soffred to be nayled,
Hond and foot empaled.
From His syde flowed hooly blood, the to redeem availed.

The oldest hymn in Polish, sung by Polish and Lithuanian knights before their victory over the Teutonic Order at the battle in Grunwald in 1410

JAN KOCHANOWSKI
1530 -1584

DO JADWIGI

Wróć mi serce, Jadwigo, wróć mi, przez Boga,
A nie bądź przeciwko mnie tak bardzo sroga,
Bo po prawdzie, z samego serca, krom ciała,
Nie baczę, żebyś jaki pożytek miała;
A ja trudno mam być żyw, jeśliże muszę
Stracić lepszą część siebie, a owszem duszę.
Przeto uczyń tak dobrze: albo wróć moje,
Albo mi na to miejsce daj serce twoje.

TO JADWIGA

Jadwiga, give me back my heart, I pray!
Do not afflict me in this cruel way.
Truly, I can't allow you thus to use
My very heart - the rest of me refuse.
How can I live? My chiefest part you stole -
The best of me - the heart that is my soul!
I beg you therefore to return that part
Or else, instead of it, give me your heart.

* * *

Dzbanie mój pisany,
Dzbanie polewany,
Bądź płacz, bądź żarty, bądź gorące wojny,
Bądź miłość niesiesz albo sen spokojny;
Jakokolwiek zwano
Wino, co w cię lano,
Przymkni się do nas, a daj się nachylić,
Chciałbym twym darem gości swych posilić.
I ten cię nie minie,
Choć kto mądrym słynie;
Pijali przedtem i filozofowie,
A przedsię mieli spełna rozum w głowie.
Ty zmiękczysz każdego,
Najstateczniejszego;
Ty mądrych sprawy i tajemną radę
Na świat wydawasz przez twą cichą zdradę.
Ty cieszysz nadzieją
Serca, które mdleją;
Ty ubogiemu przyprawujesz rogi,
Że mu ani król, ani hetman srogi.
Trzymaj się na mocy,
Bo cię całej nocy
Z rąk nie wypuścim, aż dzień, jako trzeba,
Gwiazdy rozpędzi co do jednej z nieba.

* * *

Pitcher be praised,
So finely glazed!
Tears, laughter you purvey - the heat of war
Love, too - or restful ease to let me snore.
Whate'er it's called,
The wine you hold
Appeals to us; most willingly you tip,
That likewise all my guests your bounty sip.
None shall despise,
However wise,
My jug, whose wine philosophers have quaffed–
Men whose heads with reasoning are stuffed.
You can deflate
The most sedate;
Wise counsels, secret thoughts, good pitcher, free
For all to hear - by your sly treachery.
You cheer with hope
Faint hearts that grope
For comfort; poor men's backs you straighten
Should either king or army leader threaten.
God keep you strong!
The whole night long,
We'll not let go of you till day is nigh
And every star's been driven from the sky.

* * *

Serce roście, patrząc na te czasy:
Mało przedtem gołe były lasy,
Śnieg na ziemi wysszej łokcia leżał,
A po rzekach wóz najcięższy zbieżał.

Teraz drzewa liście na sie wzięły,
Polne łąki pięknie zakwitnęły;
Lody zeszły, a po czystej wodzie
Idą statki i ciosane lodzie.

Teraz prawie świat sie wszytek śmieje,
Zboża wstały, wiatr zachodny wieje;
Ptacy sobie gniazda omyślają,
A przede dniem śpiewać poczynają.

Ale to grunt wesela prawego,
Kiedy człowiek sumnienia całego
Ani czuje w sercu żadnej wady,
Przecz by się miał wstydać swoje rady.

Temu wina nie trzeba przylewać,
Ani grać na lutni, ani śpiewać:
Będzie wesół, byś chciał, i o wodzie,
Bo się czuje prawie na swobodzie.

Ale kogo gryzie mól zakryty,
Nie idzie mu w smak obiad obfity;
Żadna go pieśń, żadny głos nie ruszy,
Wszytko idzie na wiatr mimo uszy.

Dobra myśl, której nie przywabi,
Choć kto ściany drogo ujedwabi,
Nie gardź moim chłodnikiem chruścianym,
A bądź ze mną, z trzeźwym i z pijanym.

* * *

The heart swells on such days as these:
No time ago, bare were the forest-trees;
The snow lay more than elbow-deep in parts
And frozen rivers bore the heaviest carts.

The branches now are covered in fresh leaf,
The flower-filled meadows lovely past belief;
The ice has gone and on the limpid tide,
Rough-hewn boats and sailing vessels glide.

The world itself a smiling visage shows,
The corn has risen and the west wind blows.
Birds give thought to garnishing the nest
And ere the dawn, begin to sing with zest.

A man has got true reason to rejoice
If, listening to that quiet, inner voice
Of conscience, he finds nothing to annoy -
Save only shame at feeling so much joy.

No wine is needed by such man of merit -
Nor lute nor song to fortify his spirit;
Merry he'll grow on water, such as he,
For, conscience clear, he feels at liberty.

But he who's gnawed by secret discontent,
The richest meal won't win his taste's assent;
No song nor vice will move him; all he hears
The wind will snatch away, despite his ears.

No noble thoughts occur to light his mind,
Though all his homestead walls be silken-lined!
So stay with me! Don't spurn my humble fare –
Whether I'm sober or the worse for wear!

IGNACY KRASICKI
1735-1801

CZAPLA, RYBY I RAK

Czapla stara, jak to bywa,
Trochę ślepa, trochę krzywa,
Gdy już ryb łowić nie mogła,
Na taki się koncept wzmogła.
Rzekła rybom: "Wy nie wiecie,
A tu o was idzie przecie".
Wiec wiedzieć chciały,
Czego się obawiać miały.
"Wczora
Z wieczora
Wysłuchałam, jak rybacy
Rozmawiali: wiele pracy
Łowić wędką lub więcierzem;
Spuśćmy staw, wszystkie zabierzem,
Nie będą mieć otuchy,
Skoro staw będzie suchy.
Ryby w płacz, a czapla na to:
"Boleje nad waszą stratą,
Lecz można złemu zaradzić
I gdzie indziej was osadzić;
Jest tu drugi staw blisko,
Tam obierzcie siedlisko.
Chociaż pierwszy wysuszą,
Z drugiego was nie ruszą".
"Więc nas przenieś" - rzekły ryby.
Wzdrygała się czapla niby;
Dała się na koniec użyć,
Zaczęła służyć.
Brała jednę po drugiej w pysk, niby nieść mając,
I tak pomału zjadając,
Zachciało się na koniec skosztować i raki.

THE HERON, THE FISHES AND THE CRAYFISH

An ageing heron, malcontent -
Slightly blind and slightly bent -
Finding he had lost the knack
Of fishing, tried another tack.
To the fishes: "Friends," said he,
"You don't know what your fate's to be!"
The fish were all agog to hear
What it was they had to fear.
"Yestereve,
Would you believe:
I heard the fishermen complain
About the labour and the pain
Of fishing with a rod or pot:
Let's drain the pond and catch the lot,
The fish will have good cause to cry
Once that pond of theirs runs dry."
The fish began to sob and wail, whereon:
"Your loss will grieve me," said the heron,
"Never mind! I know what we can do:
We simply most re-settle you.
There's a pond no distance hence
Where you can take up residence.
This pond they'll drain, however much
You weep; the other, they'll not touch."
"Take us there!" the fishes cried;
The heron with reluctance sighed;
As though at first inclined to shirk -
Then set to work.
Each, in his beak, the heron, thus empowered
Flew to a thicket and the fish devoured.
This prompted him to, taste a crayfish, too.

Jeden z nich widząc, iż go czapla niesie w krzaki,
  Postrzegł zdradę, o zemstę zaraz się pokusił.
Tak dobrze za kark ujął, iż czaplę udusił.
  Padła nieżywa:
  Tak zdrajcom bywa.

But as its captor to'ards the thicket flew,
The knowing victim, swift revenge invoked:
It clawed the heron's neck so tight - he choked
And bit the dust -
As traitors must.

ALEKSANDER FREDRO
1793 -1876

DOŻYWOCIE
Fragment sceny 5 z aktu II

Skąpy lichwiarz Łatka prosperuje dzięki wpływom z dożywotniej renty Leona, rozrzutnego i rozwiązłego młodego hulaki. Łatka jest przerażony, że Leon mógłby skorzystać z możliwości lotu balonem, którą oferuje miejscowa gazeta. Jeśliby Leon się zabił, Latka zostałby pozbawiony swojego źródła utrzymania.

ŁATKA
podając Leonowi gazetę

Ot, wariat jakiś nowy
Dziś kark skręcić chce widocznie,
Bo balonem w górę leci;
Niech nad duszą Bóg mu świeci!

LEON
wstając

Wariat? - O, nie; lecz wariata,
By tak mówić, na to trzeba.
Nie zazdrościć, gdy kto wzlata
Pod gwieździste, wielkie nieba?

Jakby by do siebie, nie zważając na Łatkę

O, rozkoszy! Choć na chwilę
Krążyć śmiało pod obłokiem
I na głupstwa, nędzy tyle,
Cichym mędrca rzucić okiem!
Im się wyżej, wyżej wzlata,
Ten punkt błota, serce świata,
To mrowisko nasze całe -
Jakże nędzne, jakże małe!
A te mrówki, tak wspaniałe,
Pełne żądzy, wiedzy, pychy,
Jakże twór to śmieszny, lichy!
Iskrą życia wyrzucony

THE ANNUITY
Extract from Act II, Scene 5

The skinflint moneylender, Watka, lives on the income from an annuity on the life of Leon - a spendthrift and dissolute young man-about-town. Watka is terrified in case Leon may take up the offer of a free flight in a balloon, advertised in the newspaper. If Leon were killed, the annuity would cease.

WATKA
handing newspaper to Leon

Some lunatic
Is clearly out to break his neck -
Ballooning!... Plans a record flight...
God grant his soul perpetual light!

LEON
standing up

Lunatic? Not so! should we
Not rather envy him, aloft,
As towards the heavens' canopy
Of stars - in his balloon - he'll waft?

As though to himself, ignoring Watka

What ecstasy - albeit brief -
Amid the clouds, sublimely swaying,
Man's many follies, so much grief,
With sage's thoughtful eye surveying!
And as he rises - higher - higher,
This globe of mud, our world entire,
This ant-heap we inhabit - all -
Will paltry seem to him - so small!
And we, proud ants, who would walk tall-
Full of ambition, knowledge, pique -
Just comic creatures - puny, weak -
Who, with a spark of life begot,

Na poziomą przestrzeń światła,
Tak ucieka od poziomu,
Jakby wiecznym ogniem gromu
Stał mu poziom rozpalony.
I po karkach depcze sobie,
Nieuważny, co rozgniata,
Czy to serce, czy to życie,
Byle w górę, byle w górę,
Byle kiedyś stanąć w szczycie!

z ironią

Gdzie te wielkie dzieła świata,
Co to mają przejść naturę?
Gdzież ta, w łez i krwi żałobie,
Ta zwycięskich mordów wrzawa?
Gdzież ta, grzmiąca echem sława?
Gdzież pochwalne owe głosy,
Co to mają bić w niebiosy? -
Tam, na górze, nic nie słychać...
Cisza wkoło... cisza błoga...
Tam można wolno oddychać
Dalej ludzi, bliżej Boga!

Wpada w zamyślenie

Upon our planet's level face,
Struggle to rise above the mean,
As though the earth they walk had been
By bolts of lightning seared red-hot...
Each clambers on his neighbour's back,
Heedless who's trampled in the race -
Whose heart, or life's condemned to plummet,
That he may rise, enhance his stature,
And stand, one day, upon the summit!

ironically

Of this world's mighty deeds, what trace?
Of works once hailed supreme to nature?
The blood and tears of mass attack -
The cheers of murderers victorious?
What price here, what there seemed glorious?
Where are the voices then upraised
That heaven might be duly praised?
High in the clouds, no sound - all's still;
The bliss of peace where none has trod!
Where one may breathe fresh air at will:
The further Man, the nearer God!

Falls into a reverie

[KAT I ŁOTR]

Fragment *Pana Jowialskiego*

"Przebacz waćpan niezgrabność - mówił kat łotrowi -
Pierwszy raz dzisiaj wieszam, jestem nowym katem".
"Proszę się nie żenować - łotr grzecznie odpowie -
Pierwszy raz mnie wieszają, nie poznam się na tem!"

[THE HANGMAN AND THE VILLAIN]

Extract From *Pan Jowialski*

"Pray sir, forgive my lack of skill,"
Said the hangman to his prey.
"I fear I'm quite a novice still -
And you're my first today!"

The villain answered graciously:
"Don't worry on that score...
The finer points are lost on me:
I've not been hanged before!"

KOS I DZIERLATKA

- Coś waszmości nie w smak klatka -
Rzekła do kosa dzierlatka. -
Gwizdać - gwiżdżesz jeszcze,
Ale co to za gwizdanie!
Dawniej twoje głosy wieszcze
Zwiastowały nam świtanie,
Aż krzewiny nieraz brzmiały,
A dziś, wstydź się, dziś nieśmiały
Nucisz tylko cichym głosem,
Jakbyś przestał już być kosem.

- Co w krzewinie, to nie w klatce -
Odpowiedział kos dzierlatce. -
Gdybym ja zaśpiewał szczerze,
Wiesz, waćpanna, korzyść jaka?
Oto ze słuchaczów pierze,
A pieczyste ze śpiewaka.

THE BLACKBIRD AND THE LARK

"Your honour isn't happy caged, I fear,"
Said lark to blackbird. "Once, your voice rang clear!
You whistled; to be sure, you whistle still -
But very different is the sound you make!
Time was, when your prophetic trill
Proclaimed to all that day would shortly break.
The very woods resounded with your cry!
But now, for shame, as though afraid or shy,
You hum a note or two, scarce audibly,
As though a blackbird you had ceased to be!"

"Life in a cage is not like being outside,"
The blackbird to the lark replied.
"Were I to sing the truth of what I feel,
What purpose would it serve, miss? Not a whit!
The listeners would be plucked without appeal,
The singer put to roast upon a spit!"

ŚLUBY PANIEŃSKIE
Fragment sceny 3 z aktu IV

Klara i jej kuzynka Aniela nienawidzą mężczyzn i ślubują sobie nigdy nie wychodzić za mąż. Gustaw, który jest zakochany w Anieli, twierdzi, że zachłanny ojciec Klary zamierza zmusić swą córkę do małżeństwa z Radostem, bogatym starym kawalerem, i namawia Anielę do zmiany jej postanowienia.

ANIELA

I wstręt jej szczery...

GUSTAW

Szczery czy nie szczery
Radost majętny, ojciec Klary chciwy,
Nie ma co gadać - jak dwa a dwa cztery -
Nie dziś, to jutro będzie jego żoną.

ANIELA

Ale jej śluby?

GUSTAW

Śluby? - sen prawdziwy!
I ty, Anielo, rzuć tę ciemną drogę,
Póki czas tobie, a ja przestrzec mogę.
Lecz powiedz szczerze - kiedy polot myśli
Obraz nam szczęścia czasami zakréśli
I zdobi błahe, lecz lube utwory
W kwiatów marzenia najczystsze kolory -
Cóż ściąga światło, w całym blasku stawa,
Jeśli nie miłość - i stała, i prawa?
Miłość, szlachetnej przewodząca parze
Z łona rodziców przed ślubów ołtarze.-
Ach, być kochanym wszyscy szczęściem głoszą;
Mym zdaniem: kochać jest większą rozkoszą -
Los kilku istot zrobić swoim losem,
Czuć i żyć tylko drogich dusz odgłosem,
Dla dobra innych cenić własne życie,
Dla nich poświęcić każde serca bicie

VIRG1NS' VOWS
Extract from Act IV, Scene 3

Clara and her cousin, Aniela hate all men and have vowed never to marry. Gustave who is in love with Aniela, pleads with her to change her mind. Clara's greedy father, he argues, is planning to force her to marry Radost - a rich, elderly bachelor.

ANIELA

Her hate's sincere -

GUSTAVE

Sincere or insincere -
Radost is rich; her father is a miser.
As two and two make four, the picture's clear:
If not today, tomorrow they'll be married!

ANIELA

Her vows?

GUSTAVE

A dream! You'd really be much wiser
To quit that sombre path while time allows
And I'm still here - misgivings to arouse!
Is it not true, when thoughts in lofty flight,
Depict an image of extreme delight,
Precious, though trifling, fancies often gleam
As brilliantly as flowers in a dream?
What is that radiance that floods the sight,
If it's not love - true love - steadfast and right?
Love that ensures the bridal pair don't falter
As they take leave of parents at the altar?
Some say that being loved is joy supreme:
The joy of loving greater still I deem!
To make the fate of those you love your own -
To live and feel on their behalf alone -
Your life for their sole benefit to lead,
Devoting every heart-beat to their need

Światem uczynić najmniejszą zagrodę,
Tam mieć cel życia i życia nagrodę
I kończąc cicho wytknięte koleje,
Za grób swój jeszcze przeciągnąć nadzieje -
Otóż to szczęścia rzetelne zalety!
I ty, ty wyrzec chcesz się ich, niestety?!

To make your world that tiny patch of sward
You cultivate: life's aim and life's reward!
Then - all vicissitudes being quietly past -
With hope, to look beyond the grave at last.
Those are the merits of that happy state
Which you, alas, propose to abdicate!

ZEMSTA
Fragmenty sceny 7 i 8 z aktu II

Papkin, chyba najsławniejsza Fredrowska postać komiczna, jest chełpliwym żołnierzem samochwałą, niedoszłym poetą, krętaczem i tchórzem. W poniższym fragmencie przedstawia Klarze swoją kandydaturę do jej ręki i zostaje przez nią bezlitośnie wykpiony.

PAPKIN

[.......................................]
Przebacz zapał zgrozokrwawy
Rycerskiego uniesienia!
Ale, widzisz - dość mam sławy,
Brak mi tylko pozwolenia,
Bym w fortunnych stanął rzędzie,
Których celem Klara będzie.

KLARA

Więc zezwalam.

PAPKIN

klękając

Przyjmij śluby...

KLARA

Hola! teraz lata próby,
W nich dowody posłuszeństwa,
Wytrwałości i śmiałości.

PAPKIN

O królowo wszechpiękności!
Ornamencie człowieczeństwa!
Powiedz: "W ogień skocz, Papkinie" -
A twój Papkin w ognia zginie.

Wstaje

KLARA

Nie tak srogie me żądanie.

REVENGE
Extracts from Act II, Scenes 7 and 8

Papkin, perhaps the best-known of Fredro's comic characters, is a boastful soldier-of-fortune, would-be poet, a liar and a coward. In this extract he proposes to Clara and is unmercifully teased.

PAPKIN

[.....................................]
Forgive this blood-and-thunder tale
Of chivalry and virtues male:
No stranger I, to glory's portals!
I crave your leave to take my place
Among the ranks of happy mortals,
Whose talisman is - lovely Clara's face!

CLARA

I grant it...

PAPKIN

on his knees

And I pledge my troth.

CLARA

Now, years of trial to test your oath:
Obedience must be demonstrated -
Courage, constancy and duty!

PAPKIN

Beloved monarch, Queen of Beauty -
Ornament of all created -
Bid me "Jump into that fire!"
And, in the flames, your Papkin will expire!

Rises to his feet

CLARA

Less drastic shall be my request -

Klejnot rycerskiego stanu
Pastwą ognia nie zostanie
lecz powtarzam waszmość panu:
Posłuszeństwa, wytrwałości
I śmiałości żądam próby.

PAPKIN
W każdej znajdę powód chluby.

KLARA
Posłuszeństwa chcąc dać miarę,
Milczeć trzeba sześć miesięcy.

PAPKIN
Nic nie gadać!

KLARA
Tak - nic więcej.
Wytrwałości zaś dam wiarę,
Gdy o chlebie i o wodzie...

PAPKIN
Tylko, przebóg niezbyt długo.

KLARA
Rok i dni sześć...

PAPKIN
boleśnie
Jestem w grobie.
z ukłonem

Ale zawsze - twoim sługą.
KLARA

Zaś śmiałości - w tym sposobie
Da mi dowód, kto dać zechce:
W oddalonej stąd krainie
Jadowity potwór słynie,
Najmężniejszym trwogą bywa -

No jewel of chivalry's estate
Shall victim fall to such a fate!
But I repeat, I mean to test
Obedience and steadfastness;
Your courage likewise shall be tried.

PAPKIN
To prove each one shall be my pride!

CLARA
As for obedience, I decree
That you stay silent - half a year -

PAPKIN
Say nothing?

CLARA
Not a word, my dear!
To test your steadfastness - let's see -
Perhaps a bread-and-water diet...

PAPKIN
Pray not too long! It makes me nervous -

CLARA
One year, six days

PAPKIN
woefully
Condemned to death!
Bowing

But ever faithful - at your service!

CLARA
Now, courage! Here's the shibboleth!
Let him who will give proof of it:
In some far land can still be found
A poisonous monster, world renowned,
That holds the bravest men appalled...

Krokodylem się nazywa.
Niech go schwyci i przystawi,
Moje oko nim zabawi;
Bom ciekawa jest nad miarę
Widzieć żywą tę poczwarę.
To jest wolą niewzruszoną.
A kto spełni, co ja każę,
Ten powiedzie przed ołtarze,
Tego tylko będę żoną.

Ukłoniwszy się odchodzi w drzwi prawe
[.........................]

PAPKIN

po długim miczeniu

Krrrokodyla!

ironicznie

Tylko tyle!
Co za koncept, u kaduka!
Pannom w głowie krokodyle,
Bo dziś każda zgrozy szuka:
To dziś modne, wdzięczne, ładne,
Co zabójcze, co szkaradne.
Dawniej młoda panieneczka
Mile rzekła kochankowi:
"Daj mi, luby, kanareczka",
A dziś każda swemu powie:
"Jeśli nie chcesz mojej zguby,
Krrrokodyla daj mi, luby".

po krótkim rnilczeniu

Post, milczenie - wszystko fraszka,
Straży przy mnie nie postawi.
Ale potwór nie igraszka.
Czart - nie Papkin go przystawi.

A crocodile, I think it's called.
Go, catch it - for I'd love to see
This terrifying prodigy!
I'm curious beyond all measure:
You'll not deny me such a pleasure?
That is my will and my command.
He who obeys and does not falter
Will surely lead me to the altar:
On him I shall bestow my hand!

Exit Clara

[............................]

PAPKIN

after long silence

A crrrocodile!

with irony

Not hard to find!
What an idea, for Heaven's sake!
If girls have crocodiles in mind,
Their appetite for thrills to slake,
Then - by some modish trend insidious -
The beautiful's become the hideous!
There was a time when maids contrary
Lovers might with sighs entreat:
"What I'd like is a canary!"
Now, they tell you bluntly, "Sweet,
Unless you are prepared to lose me,
Catch a crocodile to amuse me!"

after short silence

Silence and fasting?
Fiddlesticks! There'll be no sentries there to check.
Only that monster puts me in a fix:
Papkin, for sure, won't risk his neck!

ADAM MICKIEWICZ
1798 -1855

GRAŻYNA
Fragment

Była naonczas książęciu zamężną
Córa na Lidzie możnego dziedzica,
Z cór nadniemeńskich pierwsza krasawica,
Zwana Grażyną, czyli piękną księżną;
A chociaż wiekiem od młodej jutrzenki
Pod lat niewieścich schodziła południe,
Oboje, dziewki i matrony wdzięki
Na jednym licu zespoliła cudnie.
Powagą zdziwia, a świeżością znęca:
Zda się, że lato oglądasz przy wiośnie;
Że kwiat młodego nie stracił rumieńca,
A razem owoc wnet pełni dorośnie.
Nie tylko licem nikt jej nie mógł sprostać,
Ona się jedna w dworze całym szczyci,
Że bohaterską Litawora postać
Wzrostem wysmukłej dorówna kibici.
Książęca para, kiedy ją okoli
Służebne grono, jak w poziomym lesie
Sąsiednia para dorodnych topoli,
Nad wszystkich głowę wystrzeloną niesie.

Twarzą podobna i równa z postawy,
Sercem też całym wydawała męża;
Igłę, wrzeciono, niewieście zabawy
Gardząc, twardego imała oręża;
Często, myśliwa, na żmudzkim rumaku,
W szorstkim ze skóry niedźwiedziej kirysie,
Spiąwszy na czole białe szpony rysie,
Pośród strzelczego hasała orszaku;
Z pociechą męża nieraz w tym ubiorze
Wracając z pola oczy myli gminne,
Nieraz od służby zwiedzionej na dworze
Odbiera hołdy książęciu powinne.

GRAŻYNA
Extract

Litawor had as worthy consort claimed
The daughter of a wealthy Lidan squire
Whose beauty shamed all daughters of the shire:
Grażyna or "The Lovely Princess" named.
Though she had passed beyond the dawn of youth
And neared in woman's years the noonday shine,
The grace of maid and matron did forsooth
Her countenance delightfully combine.
Her seriousness amazed, her freshness charmed.
In her was summer glimpsed through spring, it seemed;
A flower whose youthful blush age had not harmed –
A fruit which yet in fullgrown ripeness beamed.
In more than looks could none approach her fame –
In all the castle she did proudly vaunt
That, next Litawor's sturdy warrior frame,
She equally her slenderness could flaunt.
And when the princely couple were beset
By host of servants as in dwarfish wood
Two stately poplars close together set –
Their noble heads above all others stood.

Alike in looks, in stature, too, made one –
With all her heart, the male she did proclaim,
The needle, loom and playthings such did shun
To seek with weapons strong a nobler fame.
And oft the huntress on her mettled steed,
In rugged bearskin cuirass surely cased –
White lynx-paws on her forehead interlaced –
Amid the marksmen's noisy throng, indeed –
To his delight - she often in this guise,
Returning from the field, of lowly horde
And castle-servants, too, deceived the eyes –
Thus stealing homage rightly due her lord.

PAN TADEUSZ

Fragment księgi 1

Litwo! Ojczyzno moja! ty jesteś jak zdrowie;
Ile cię trzeba cenić, ten tylko się dowie,
Kto cię stracił. Dziś piękność twą w całej ozdobie
Widzę i opisuję, bo tęsknię po tobie.

Panno święta, co Jasnej bronisz Częstochowy
I w Ostrej świecisz Bramie! Ty, co gród zamkowy
Nowogródzki ochraniasz z jego wiernym ludem!
Jak mnie dziecko do zdrowia powróciłaś cudem
(Gdy od płaczącej matki pod Twoją opiekę
Ofiarowany, martwą podniosłem powiekę
I zaraz mogłem pieszo do Twych świątyń progu
Iść za wrócone życie podziękować Bogu),
Tak nas powrócisz cudem na Ojczyzny łono.
Tymczasem przenoś moją duszę utęsknioną
Do tych pagórków leśnych, do tych łąk zielonych,
Szeroko nad błękitnym Niemnem rozciągnionych;
Do tych pól malowanych zbożem rozmaitem;
Wyzłacanych pszenicą, posrebrzanych żytem;
Gdzie bursztynowy świerzop, gryka jak śnieg biała,
Gdzie panieńskim rumieńcem dzięcielina pała,
A wszystko przepasane jakby wstęgą, miedzą
Zieloną, na niej z rzadka ciche grusze siedzą.
Śród takich pól przed laty, nad brzegiem ruczaju,
Na pagórku niewielkim, we brzozowym gaju,
Stał dwór szlachecki, z drzewa, lecz podmurowany;
Świeciły się z daleka pobielane ściany,
Tym bielsze, że odbite od ciemnej zieleni
Topoli, co go bronią od wiatrów jesieni,
Dom mieszkalny niewielki, lecz zewsząd chędogi,
I stodołę miał wielką, i przy niej trzy stogi

PAN TADEUSZ

Extract from Book 1

Lithuania, my homeland, thou art like health –
He only who has lost thee can judge his former wealth.
Today I see thy beauty in its sublimity;
And, seeing, I depict it, because I yearn for thee!

Holy Virgin who dost watch on Częstochowa bright,
Shining on Ostra Brama, while keeping in thy sight
Nowogrodek's castled rock and all its faithful breed
As didst thou me, a child, miraculously lead
To health when once my mother, in tears, thy aid implored –
My dying eyes I opened and, for my life restored,
On foot approached unaided the threshold of thy shrine
To offer up my thanks to Providence divine –
So lead us, by a miracle, back to the Motherland!
Bear now my soul unto that longed-for strand,
To see those wooded hills, those meadows green,
Far-ranging, where blue Niemen flows between,
The fields bedecked with variegated grain
Wheat-golden or rye-silver, or again,
Where amber mustard, snow-white buckwheat grows
And clover, blushful as a maiden, glows:
The whole green-girt, as though by ribbons laced,
With restful pear-trees casually graced.
Amid such fields, long since, by rivulet,
Upon a hillock in a birch-grove set,
There stood a wooden manor, built on stone,
Whose whitened walls far-off distinctly shone –
The whiter even for the sombre green
Of poplars which from autumn winds did screen.
The house, not over-large, was well maintained,
With barn capacious, though its girth was strained,

Użątku, co pod strzechą zmieścić się nie może;
Widać, że okolica obfita we zboże,
I widać z liczby kopic, co wzdłuż i wszerz smugów
Świecą gęsto jak gwiazdy, widać z liczby pługów
Orzących wcześnie łany ogromne ugoru,
Czarnoziemne, zapewne należne do dworu,
Uprawne dobrze na kształt ogrodowych grządek:
Że w tym domu dostatek mieszka i porządek.
Brama na wciąż otwarta przechodniom ogłasza,
Że gościnna i wszystkich w gościnę zaprasza.

Fragment księgi 8

Przed burzą bywa chwila cicha i ponura;
Kiedy nad głowy ludzi przyleciawszy chmura
Stanie i grożąc twarzą, dech wiatrów zatrzyma,
Milczy, obiega ziemię błyskawic oczyma,
Znacząc te miejsca, gdzie wnet ciśnie grom po gromie:
Tej ciszy chwila była w Soplicowskim domie.
Myśliłbyś, że przeczucie nadzwyczajnych zdarzeń
Ścięło usta, i wzniosło duchy w kraje marzeń.

Po wieczerzy i Sędzia, i goście ze dworu
Wychodzą na dziedziniec używać wieczoru;
Zasiadają na przyzbach wysłanych murawą;
Całe grono z posępną i cichą postawą
Pogląda w niebo, które zdawało się zniżać,
Ścieśniać i coraz bardziej ku ziemi przybliżać,
Aż oboje, skrywszy się pod zasłonę ciemną
Jak kochankowie, wszczęli rozmowę tajemną,
Tłumacząc swe uczucia w westchnieniach tłumionych,
Szeptach, szmerach i słowach na wpół wymówionych,
Z których składa się dziwna muzyka wieczoru.

Zaczął ją puszczyk, jęcząc na poddaszu dworu;
Szepnęły wiotkim skrzydłem niedoperze, lecą
Pod dom, gdzie szyby okien, twarze ludzi świecą;

For haystacks three its roof could not enfold.
That crops were plentiful need scarce be told –
Witness the sheaves in meadows far and wide,
Gleaming, close-set as stars; the ploughs that ride,
Scoring deep furrows in the rich black soil
Belonging to the manor. All this toil,
As neat as might attend a flower-border,
Was evidence of plenty and of order.
Wide-open gates, to those who chanced to call,
Proclaimed that hospitality was here for all.

Extract from Book 8

Before the storm, a sullen calm descends,
As overhead the cloud's mad scurry ends.
With lowering brow, the errant wind it ties
And, silent, scans the earth with lightning eyes,
Descrying where anon its bolts shall fall.
Soplica's house grows silent overall.
A sense of great events impending seems
To hush the talk and turn their minds to dreams.

The meal is over. Now the house they leave.
The judge invites his guests to relish eve –
On mossy banks of turf to take their rest.
But all in silence and with mien oppressed,
Study the heavens which to droop appear
To shrink and to the earth to draw more near,
Till both beneath a sombre veil are hiding,
Like lovers, secrets tenderly confiding.
Their stifled sighs fond sentiments betoken,
Soft whispers, murmurs, words but scarcely spoken:
These sounds composed the evening's music strange.

The owl then fell to hooting in the grange,
While bats on flimsy wings sped fluttering past,
To'ards gleam from casement or by faces cast.

Bliżej zaś, niedoperzów siostrzyczki, ćmy, rojem
Wiją się, przywabione białym kobiet strojem,
Mianowicie przykrzą się Zosi, bijąc w lice
I w jasne oczki, które biorą za dwie świece.
Na powietrzu owadów wielki krąg się zbiera,
Kręci się grając jako harmoniki sfera;
Ucho Zosi rozróżnia śród tysiąca gwarów
Akord muszek i półton fałszywy komarów.

W polu koncert wieczorny ledwie jest zaczęty;
Właśnie muzycy kończą stroić instrumenty,
Już trzykroć wrzasnął derkacz, pierwszy skrzypak łąki,
Już mu z dala wtórują z bagien basem bąki,
Już bekasy do góry porwawszy się wiją
I bekając raz po raz jak w bębenki biją.

Na finał szmerów muszych i ptaszęcej wrzawy
Odezwały się chórem podwójnym dwa stawy,
Jako zaklęte w górach kaukaskich jeziora,
Milczące przez dzień cały, grające z wieczora.
Jeden staw, co toń jasną i brzeg miał piaszczysty,
Modrą piersią jęk wydał cichy, uroczysty;
Drugi staw, z dnem błotnistym i gardzielem mętnym,
Odpowiedział mu krzykiem żałośnie namiętnym;
W obu stawach piały żab niezliczone hordy,
Oba chory zgodzone w dwa wielkie akordy.
Ten fortissimo zabrzmiał, tamten nuci z cicha,
Ten zdaje się wyrzekać, tamten tylko wzdycha;
Tak dwa stawy gadały do siebie przez pola,
Jak grające na przemian dwie arfy Eola.

Mrok gęstniał; tylko w gaju i około rzeczki
W łozach, błyskały wilcze oczy jako świeczki,
A dalej, u ściśnionych widnokręgu brzegów,
Tu i ówdzie ogniska pastuszych noclegów.
Nareszcie księżyc srebrną pochodnię zaniecił,
Wyszedł z boru i niebo i ziemię oświecił.
One teraz, z pomroku odkryte w połowie,

Those hovering sisters of the bats, dark moths –
Attracted by the women's pale head-cloths –
Zosia torment, as 'gainst her face they fly,
Mistaking for a candle each bright eye.
A host of insects, whirling in a sphere,
Make music circling, while the tutored ear
Of Zosia, mid a thousand sounds, can tell
The midges are off-key, the flies play well.

The concert in the fields has scarce begun –
The players tuning up, each one by one:
Thrice shrills the landrail, fiddler of the mead;
A bittern's bass booms, seconding his lead.
Then soaring woodcock spirals, oft repeating
Its single note, as though a drum were beating.

Finale to the birds' and insects' din,
Two ponds, in double chorus, entered in,
Like lakes bewitched in the Caucasian heights,
Which, silent all day long, strike up o'nights.
The one with limpid depths and sandy shore,
From azure breast a sweet, grave song did pour;
The other, turbid throat befouled with marsh,
Its doleful passion sang in accents harsh.
In either pond, the frogs in countless hordes,
Were chorusing two dominating chords.
Fortissimo crashed one, the other fluted:
One roared complaint, while two with sighs disputed.
Thus sang the ponds in turn, cross field and bog,
Like two aeolian harps - in duologue.

Dusk gathers: in the copse, down by the stream,
Wolf eyes, like candles, mid the willows gleam.
While, on the shrinking edges of the night,
A shepherd's fire burns here and there in sight.
At last, the moon with silvery torch held high,
Rising above the copse, lit earth and sky,
Which side by side, a happily wedded pair,

Drzemały obok siebie jako małżonkowie
Szczęśliwi: niebo w czyste objęło ramiona
Ziemi pierś, co księżycem świeci posrebrzona.

Fragment księgi 12

Było cymbalistów wielu,
Ale żaden z nich nie śmiał zagrać przy Jankielu
(Jankiel przez całą zimę nie wiedzieć gdzie bawił,
Teraz się nagle z głównym sztabem wojska zjawił).
Wiedzą wszyscy, że mu nikt na tym instrumencie
Nie wyrówna w biegłości, w guście i w talencie.
Proszą, ażeby zagrał, podają cymbały;
Żyd wzbrania się, powiada, że ręce zgrubiały,
Odwykł od grania, nie śmie i panów się wstydzi;
Kłaniając się umyka; gdy to Zosia widzi,
Podbiega i na białej podaje mu dłoni
Drążki, którymi zwykle mistrz we struny dzwoni;
Drugą rączką po siwej brodzie starca głaska
I dygając: "Jankielu, mówi, jeśli łaska,
Wszak to me zaręczyny, zagrajże, Jankielu,
Wszak nieraz przyrzekałeś grać na mym weselu?"

Jankiel nieźmiernie Zosię lubił, kiwnął brodą
Na znak, że nie odmawia; więc go w środek wiodą,
Podają krzesło, usiadł, cymbały przynoszą,
Kładą mu na kolanach, on patrzy z rozkoszą
I z dumą; jak weteran w służbę powołany,
Gdy wnuki ciężki jego miecz ciągną ze ściany,
Dziad śmieje się, choć miecza dawno nie miał w dłoni,
Lecz uczuł, że dłoń jeszcze nie zawiedzie broni.

Tymczasem dwaj uczniowie przy cymbałach klęczą,
Stroją na nowo struny i próbując brzęczą;
Jankiel z przymrużonymi na poły oczyma
Milczy i nieruchome drążki w palcach trzyma.

Half lapped in darkness, half revealed, slept fair:
And, in devoted arms, the heavens chaste
Earth's bosom, silvered by the moon, embraced.

Extract from Book 12

The dulcimer a host of men could play,
But none in Jankiel's presence dared essay.
None knew where through the winter he'd sojourned,
Till with the General Staff he now returned.
Upon this instrument no like had he
In talent, taste or practised mastery.
They bring it, beg - entreaties he disdains.
Of aged hands grown stiff the Jew complains;
He's lost his skill, his nerve, is ill at ease–
So, bowing, steals away. This Zosia sees,
And, running up, in one pale hand displays
The hammers which he used in bygone days.
Her other hand his grizzled beard caresses
As, with a curtsey, "Jankiel, please!" she presses.
"This my betrothal, Jankiel, do but play –
As oft you promised for my wedding-day!"

He loved her greatly and, to sign assent,
His beard he nodded. Forthwith, back he went
And in their midst was seated - on his knees –
The dulcimer which he rejoicing sees –
As proud as veteran who knows recall,
Whose grandson lifts his sabre from the wall,
The old man laughs; long years he's held no blade,
Yet feels his weapon shall not be betrayed.

Two pupils by the dulcimer were kneeling.
They tuned the strings and strummed, the tones revealing,
While Jankiel, silent, sat with lids half-closed,
The hammers rigid in his fingers posed.

Spuścił je, zrazu bijąc taktem tryumfalnym,
Potem gęściej siekł struny jak deszczem nawalnym;
Dziwią się wszyscy - lecz to była tylko proba,
Bo wnet przerwał i w górę podniósł drążki oba.

Znowu gra: już drżą drążki tak lekkimi ruchy,
Jak gdyby zadzwoniło w struny skrzydło muchy,
Wydając ciche, ledwie słyszalne brzęczenia.
Mistrz zawsze patrzył w niebo czekając natchnienia.
Spojrzał z góry, instrument dumnym okiem zmierzył,
Wzniósł ręce, spuścił razem, w dwa drążki uderzył,
Zdumieli się słuchacze...

Razem ze strun wiela
Buchnął dźwięk, jakby cała janczarska kapela
Ozwała się z dzwonkami, z zelami, z bębenki.
Brzmi *Polnez Trzeciego Maja!* - Skoczne dźwięki
Radością oddychają, radością słuch poją,
Dziewki chcą tańczyć, chłopcy w miejscu nie dostoją –
Lecz starców myśli z dźwiękiem w przeszłość się uniosły,
W owe lata szczęśliwe, gdy senat i posły
Po dniu Trzeciego Maja w ratuszowej sali
Zgodzonego z narodem króla fetowali;
Gdy przy tańcu śpiewano: "Wiwat Król kochany!
Wiwat Sejm, wiwat Naród, wiwat wszystkie Stany!"

Mistrz coraz takty nagli i tony natęża,
A wtem puścił fałszywy akord jak syk węża,
Jak zgrzyt żelaza po szkle - przejął wszystkich dreszczem
I wesołość pomięszał przeczuciem złowieszczem.
Zasmuceni, strwożeni, słuchacze zwątpili,
Czy instrument niestrojny? czy się muzyk myli?
Nie zmylił się mistrz taki! on umyślnie trąca
Wciąż tę zdradziecką strunę, melodyję zmąca,
Coraz głośniej targając akord rozdąsany,
Przeciwko zgodzie tonów skonfederowany;
Aż Klucznik pojął mistrza, zakrył ręką lica
I krzyknął: "Znam! znam głos ten! to jest T a r g o w i c a!"

He let them fall, triumphal measure pounding,
More briskly smote, like rain in torrents sounding.
All were amazed. Twas but the notes to try;
At once he stopped, then raised the hammers high.

Now he began. Gently the hammers trembled.
Vibrating strings the wings of flies resembled –
Faint whirring, scarcely audible, creating.
He gazed aloft, for inspiration waiting:
With haughty glance, his instrument surveyed.
His hands first rose, then fell. Both hammers played.
The listeners wondered...

In the many strings,
A janissaries' band like thunder rings,
As cymbals, bells and drums their voices raise,
The Third of May bursts forth - a polonaise!
Its sprightly notes refresh the ear, breathe joy:
The girls are keen to dance, stands still no boy.
But old men's thoughts to happier years are flown,
When Deputies and Senate hailed the Throne,
And King, with subjects reconciled, acclaimed
In Council Hall, that Third of May so famed –
When dancers sang: "Long live the King, the Nation!
Long live the Diet, men of every station!"

The master ever swifter, louder smote,
Struck, like a serpent's hiss, a hostile note!
All shuddered, flinched. Like steel on glass it jarred,
Their joy with horror and foreboding marred.
They puzzled - sad, alarmed by what they heard –
Perchance the strings were false, or Jankiel erred?
The master erred not! Struck with set intent,
That traitor string the melody yet rent.
Till, stronger he that angry discord smiting,
Fierce tones against the harmony uniting,
The Warden guessed, his countenance did hide:
"It's T a r g o w i c a! Treachery!" he cried.

I wnet pękła ze świstem struna złowróżąca;
Muzyk bieży do prymów, urywa takt, zmąca,
Porzuca prymy, bieży drążkami do basów.

Słychać tysiące coraz głośniejszych hałasów,
Takt marszu, wojna, atak, szturm, słychać wystrzały,
Jęk dzieci, płacze matek. - Tak mistrz doskonały
Wydał okropność szturmu, że wieśniaczki drżały,
Przypominając sobie ze łzami boleści
R z e ź P r a g i, którą znały z pieśni i z powieści,
Rade, że mistrz na koniec strunami wszystkiemi
Zagrzmiał, i głosy zdusił, jakby wbił do ziemi.

Ledwie słuchacze mieli czas wyjść z zadziwienia,
Znowu muzyka inna - znów zrazu brzęczenia
Lekkie i ciche, kilka cienkich strunek jęczy,
Jak kilka much, gdy z siatki wyrwą się pajęczéj.
Lecz strun coraz przybywa, już rozpierzchłe tony
Łączą się i akordów wiążą legijony,
I już w takt postępują zgodzonemi dźwięki,
Tworząc nutę żałosną tej sławnej piosenki:
O żołnierzu tułaczu, który borem, lasem
Idzie, z biedy i z głodu przymierając czasem,
Na koniec pada u nóg konika wiernego,
A konik nogą grzebie mogiłę dla niego.
Piosenka stara, wojsku polskiemu tak miła!
Poznali ją żołnierze, wiara się skupiła
Wokoło mistrza; słuchają, wspominają sobie
Ów czas okropny, kiedy na Ojczyzny grobie
Zanucili tę piosnkę i poszli w kraj świata;
Przywodzą na myśl długie swej wędrówki lata,
Po lądach, morzach, piaskach gorących i mrozie,
Pośrodku obcych ludów, gdzie często w obozie
Cieszył ich i rozrzewniał ten śpiew narodowy.
Tak rozmyślając, smutnie pochylili głowy.

Ale je wnet podnieśli, bo mistrz tony wznosi,
Natęża, takty zmienia, coś innego głosi,

That ill-starred string then hissed and snapped in two;
The player changed the time, to trebles flew –
From trebles swift to bass the hammers sped –

Sounds by the thousand ever louder shed –
Of march, of war, attack, storm, shot and shell,
The groans of children, mothers' wails - so well
The direful storm evoked that, at its knell,
The trembling village maids recalled in tears
The Sack of Praga, told and sung for years
Were glad when all strings thundered, great with sound,
To drown those notes and drive them underground.

They'd scarcely time to ease their wonderment,
Before the music changed to fine lament.
A few, thin strings hummed faint and still afresh,
Like flies that strove to flee the spider's mesh.
Now joined them other strings. The scattered tones
Unite - of chords a marching legion drones
Which now in cadent unison advances
To form that sad, most famous of romances:
The wandering soldier who, through forest groves,
With woe and hunger often fainting roves.
At last, he falls beside his charger brave
And, with its faithful hooves, it digs his grave:
So old a song, to Polish troops so dear –
The soldiers know it, round the Jew press near
And, harkening to the master, they recall
Those dreadful days when over Poland's pall,
That song they chanted ere the world they crossed,
Remembering long years when, roving lost,
On land and sea, through snow or desert burning,
Or in some camp, mid foreign peoples yearning,
That folksong drew their tears, yet spirits gladdened.
Now, meditating thus, their heads bowed - saddened.

Straightway, they raised them for his touch grew stronger.
He changed the time; that song he played no longer.

I znowu spojrzał z góry, okiem struny zmierzył,
Złączył ręce, oburącz w dwa drążki uderzył:
Uderzenie tak sztuczne, tak było potężne,
Że struny zadzwoniły jak trąby mosiężne
I z trąb znana piosenka ku niebu wionęła,
Marsz tryumfalny: "Jeszcze Polska nie zginęła!...
Marsz Dąbrowski do Polski!" - I wszyscy klasnęli,
I wszyscy: "Marsz Dąbrowski!" chórem okrzyknęli!

Muzyk, jakby sam swojej dziwił się piosence,
Upuścił drążki z palców, podniósł w górę ręce,
Czapka lisia spadła mu z głowy na ramiona,
Powiewała poważnie broda podniesiona,
Na jagodach miał kręgi dziwnego rumieńca,
We wzroku, ducha pełnym, błyszczał żar młodzieńca,
Aż gdy na Dąbrowskiego starzec oczy zwrócił,
Zakrył rękami, spod rąk łez potok się rzucił:
"Jenerale, rzekł, Ciebie długo Litwa nasza
Czekała - długo, jak my Żydzi Mesyjasza,
Ciebie prorokowali dawno między ludem
Śpiewaki, Ciebie niebo obwieściło cudem,
Żyj i wojuj, o, Ty nasz!..." Mówiąc, ciągle szlochał,
Żyd poczciwy Ojczyznę jako Polak kochał!
Dąbrowski mu podawał rękę i dziękował,
On, czapkę zdjąwszy, wodza rękę ucałował.

Again looked down, the plangent strings eyed well,
Then joined his hands: as one, the hammers fell!
So sensitive, yet forceful was the stroke,
The sounding strings like brazen trumpets spoke
And to the skies, the march triumphal started:
The anthem: "Poland's soul has not departed!"
"To Poland, Dąbrowski!" They clapped in their pride
"March, march, Dąbrowski!" in chorus they cried.

As though by his own melody amazed,
He let the hammers fall, his hands upraised.
His fox-skin cap slipped to his shoulders spare –
His regal beard, uplifted, floated fair;
His cheeks were ringed by flush of crimson dye
And youthful ardour lit his soulful eye,
Till noticing Dąbrowski, face he hid
As tears of gladness welled from either lid:
"General, our land long prayed for your return –
As did we Jews for the Messiah yearn.
You were foretold by minstrels long ago;
Your coming fired the skies with wondrous glow!
Live long! Fight hard!" he sobbed. The honest soul
His country loved for, was he not a Pole?
He gave his hand in thanks, the leader grand;
The Jew, bare-headed, kissed Dąbrowski's hand.

BOHDAN ZALESKI
1802-1886

U NAS INACZEJ

Smutnoż tu - smutno, bracia, za Dunajem,
I w oczach mokro, bo sercami tajem;
Ludzie nas nudzą - i świat cały nudzi;
Cudzo - och, pusto - śród świata i ludzi!
Nie ma bo rady dla duszy kozaczej,
U nas inaczej - inaczej - inaczej!

U nas inaczej! Och! Ojczyzna lasza
To wszechsłowiańska królowa i nasza!
Bracia, zginiemy za nią, kiedy skinie,
Ale śnić będziem o swej Ukrainie:
Nie ma bo rady dla duszy kozaczej,
U nas inaczej - inaczej - inaczej!

U nas inaczej! I bujnie, i miło:
Hej, nie zastępuj na drodze, mogiło!
Nie ściel się cieniem! Niech sokole oko
Kąpię w burzanach lubo a szeroko!
Nie ma bo rady dla duszy kozaczej,
U nas inaczej - inaczej - inaczej!

U nas inaczej! Ponad Ukrainą,
Wskróś okolicą jarzącą się, siną
Boże śpiewaki ciągną w różne strony,
Aż w uszach klaszcze, taki gwar zmącony:
Nie ma bo rady dla duszy kozaczej,
U nas inaczej - inaczej - inaczej!

U nas inaczej! Co zaśpiewam w dumie –
Co w głowie knowam - brat - koń mój rozumie;
Rży po swojemu: - czy tabun pamięta?
Och! za wolnością tęsknimy, bliźnięta!
Nie ma bo rady dla duszy kozaczej,
U nas inaczej - inaczej - inaczej!

SO DIFFERENT

Life's sad past the Danube, my brothers, and drear;
Heart keeps its secret, though eye sheds a tear!
World-weary are we, mid dull neighbours unknown:
On earth, among men - we are strangers, alone...
A Cossack in exile can find no content;
At home, life is different, different, different!

So different! The Motherland where we were reared:
Land pan-Slavonic, royal and revered!
If, brothers, she calls us - we'll slay and be slain;
Meanwhile, we shall dream of our native Ukraine!
A Cossack in exile can find no content;
At home, life is different, different, different!

So different! Life there was luxuriant, sweet!
Let the grave not impede my return, I entreat,
Nor lay me in shadows; instead, let my eye
Like a falcon's, those boundless, dear grasslands descry!
A Cossack in exile can find no content;
At home, life is different, different, different!

So different! Throughout the Ukraine, far and wide –
Through all of that glittering, grey countryside
Our heavenly singers would wander at will;
Their turbulent, ear-splitting music distil!
A Cossack in exile can find no content;
At home, life is different, different, different!

So different! The songs that I sing in my pride –
The thoughts I conceal, my horse - as we ride
Understands and he whinnies... Recalling the herd?
We're twins - by the longing for liberty stirred!
A Cossack in exile can find no content;
At home, life is different, different, different!

U nas inaczej! Wciąż nuta żałoby,
Bo namogilna, bo pomiędzy groby,
Ku duchom ojców przygrywa wspaniale,
O ich minionych i bojach, i chwale.
Nie ma bo rady dla duszy kozaczej,
U nas inaczej - inaczej - inaczej!

U nas inaczej! Dziewczyna już marzy,
Coś ze swej dumki zwierciedli na twarzy;
Pusta rusałka - powiewna postawa,
Piękna, kochana - a tęskna i łzawa:
Nie ma bo rady dla duszy kozaczej,
U nas inaczej - inaczej - inaczej!

U nas inaczej! Nasze krasawice,
I czarnobrewe, i czarnoksiężnice
Jeden całusek miłosny po rusku,
To jak wosk w ogniu, choć stopniej w całusku:
Nie ma bo rady dla duszy kozaczej,
U nas inaczej - inaczej - inaczej!

U nas inaczej! Jakoś lżej, weselej,
Krew gra burzliwiej; - o! wina mi nie lej!
Samym powietrzem po pjanemu żyję;
A kiedy hulam - to na łeb na szyję.
Nie ma bo rady dla duszy kozaczej,
U nas inaczej - inaczej - inaczej!

U nas inaczej! Miłość i tęsknota
To tak jak dwie prządki naszego żywota.
Bożeż mój, Boże! łzami modlę Ciebie,
Jak umrę, daj mi Ukrainę - w Niebie!
Nie ma bo rady dla duszy kozaczej,
U nas inaczej - inaczej - inaczej!

So different! There, sound the funereal tones
Of the dirges they chant amid graveyards of bones,
To honour our forefathers' shades evermore –
Recalling their battles and glories of yore!
A Cossack in exile can find no content;
At home, life is different, different, different!

So different! A girl sits and dreams all day long;
She sings and her countenance mirrors her song.
Desolate naiad, ethereal wraith –
Lovely, beloved - in tears she keeps faith!
A Cossack in exile can find no content;
At home, life is different, different, different!

So different! Our beautiful maidens, whose mark –
Dark lashes betokening magic as dark –
Whose kisses, bestowed with Ruthenian grace,
Like wax in a furnace, dissolve in embrace!
A Cossack in exile can find no content;
At home, life is different, different, different!

So different! Light-hearted, we frolic and play –
The blood surges lustily - No wine today!
I live like a drunk - but from breathing the air,
And when I make merry - the devil a care!
A Cossack in exile can find no content;
At home, life is different, different, different!

So different! Our love and our yearning for home
Are like weavers who pattern our lives as we roam.
Oh Lord, I beseech you, in tears yet again:
When I die, grant my heaven may be the Ukraine!
A Cossack in exile can find no content;
At home, life is different, different, different!

WYJAZD BEZ POWROTU

Stoi jawor wedle wody,
A chyla się, chyla.
Płacze - nudzi - Kozak młody,
Bo ciężka nań chwila.

O! nie chylaj się, jaworze,
Zielonyś, młodziutki!
I tyś, chłopcze, w rannej porze!
Na co ci tam smutki?

Jak się jawor chylać nie ma?
Fala śród gałęzi!
Jak z suchymi stać oczyma?
Serce na uwięzi!

Kozak żegna kraj swój wiecznie:
A gdzie w inszej ziemi
Tak miłują się serdecznie?
Tak tęsknią za swemi?

Jedzie - jedzie - przez dąbrowę,
Na cudze już strony;
Siodło pod nim orzechowe
I koń jego wrony.

O! za Dunaj jedzie siny,
Na chleb gdzieś tułaczy,
Swojej lubej Ukrainy
Nigdy nie obaczy.

Rok za rokiem krwawe boje,
Przez długie tam lata

JOURNEY WITHOUT RETURN

Maple stands beside a stream,
Branches drooping low;
Cossack eyes with teardrops gleam –
Life is full of woe.

Droop not, maple! Why despair –
Young and green of leaf?
Cossack, on a morn so fair,
Why so sunk in grief?

How could maple fail to grieve,
Water in her fronds?
How could youth, dry-eyed, perceive
Heart in prison-bonds?

Cossack bids his land adieu:
In what country other
Could such fire man's love imbue,
Pining for his brother?

Through the forest, long he rides,
Mindless of his course –
Nut-brown saddle he bestrides,
And a jet-black horse.

Far beyond the Danube roves,
Questing daily bread,
For the fair Ukraine he loves
Never more he'll tread.

Bloody battles, one by one,
Down the live-long years:

Jak potomstwo liczy swoje,
Hoduje dla świata.

Idą przecie milsze chwile,
Grób stoi gotowy!
Prosi - wszczepić na mogile
Kalinę u głowy:

"Będą ptaszki dniem i nocą
Dziobać po kalinie;
Może kiedyś zaszczebiocą
Wieść o Ukrainie".

Each he counts as though a son
    Whom, for the world, he rears.

When at last dawn milder days –
    Rest eternal granted:
Let a guelder-rose, he prays,
    At his head be planted:

"Birds will peck about the tree,
    Warbling their refrain;
Some day, one may bring to me
    News of my Ukraine..."

JULIUSZ SŁOWACKI
1809 -1849

HYMN

Smutno mi, Boże! - Dla mnie na zachodzie
Rozlałeś tęczę blasków promienistą;
Przede mną gasisz w lazurowej wodzie
    Gwiazdę ognistą...
Choć mi tak niebo Ty złocisz i morze,
    Smutno mi, Boże!

Jak puste kłosy, z podniesioną głową
Stoję, rozkoszy prózen i dosytu...
Dla obcych ludzi mam twarz jednakową,
    Ciszę błękitu;
Ale przed Tobą głąb serca otworzę,
    Smutno mi, Boże!

Jako na matki odejście się żali
Mała dziecina, tak ja płaczu bliski,
Patrząc na słońce, co mi rzuca z fali
    Ostatnie błyski...
Choć wiem, że jutro błyśnie nowe zorze,
    Smutno mi, Boże!

Dzisiaj, na wielkim morzu obłąkany,
Sto mil od brzegu i sto mil przed brzegiem,
Widziałem lotne w powietrzu bociany
    Długim szeregiem.
Żem je znał kiedyś na polskim ugorze,
    Smutno mi, Boże!

Żem często dumał nad mogiłą ludzi,
Żem prawie nie znał rodzinnego domu,
Żem był jak pielgrzym, co się w drodze trudzi
    Przy blaskach gromu,
Że nie wiem, gdzie się w mogiłę położę,
    Smutno mi, Boże!

HYMN

Sad heart of me, Lord! In the West, for my sake,
A rainbow of flame You have scattered afar
And in the blue water before me You slake
        The sun's blazing star.
Yet, though You gild for me heaven and sea –
        Sad heart of me!

Like corn, empty-eared, I stand with raised head
Void of delight and whom nought satisfies.
From my face before strangers, expression has fled:
        I am dumb as the skies.
The depths of my soul, only You, Lord, can see:
        Sad heart of me!

As a small child when its mother departs,
Tremulous grieves, so to tears I incline,
Watching the sea, whence the sun setting darts
        Its lingering shine.
Though I tomorrow a new dawn may see -
        Sad heart of me!

Drifting today on the ocean's broad waste –
Five score of miles from the land, either way,
I saw storks flying overhead, airily spaced,
        And remembered the day
When storks above Poland's ploughed acres I'd see:
        Sad heart of me!

That so often I mused on the graves of the dead,
Of the house I was born in scarcely aware,
That a pilgrim was I, ever trudging ahead
        By the lightning's flare –
And because I know not where my own grave shall be –
        Sad heart of me!

Ty będziesz widział moje białe kości
W straż nie oddane kolumnowym czołom;
Alem jest jako człowiek, co zazdrości
    Mogił - popiołom...
Więc że mieć będę niespokojne łoże,
    Smutno mi, Boże!

Kazano w kraju niewinnej dziecinie
Modlić się za mnie co dzień... a ja przecie
Wiem, że mój okręt nie do kraju płynie,
    Płynąc po świecie...
Więc że modlitwa dziecka nic nie może,
    Smutno mi, Boże!

Na tęczę blasków, którą tak ogromnie
Anieli Twoi w niebie rozpostarli,
Nowi gdzieś ludzie w sto lat będą po mnie
    Patrzący – marli.
Nim się przed moją nicością ukorzę,
    Smutno mi, Boże!

Pisałem o zachodzie słońca, na morzu przed Aleksandrią

Some day, You shall look, Lord, upon my white bones –
To no pillared edifice given in trust:
For I am a man who, in envy, bemoans
The sepulchre's dust.
Since I know that my resting-place, restless shall be –
Sad heart of me!

An innocent child in my country was made
To pray for me daily, though now it is plain
That never my ship, which so widely has strayed,
Shall sail home again:
Because the child's prayer was an impotent plea –
Sad heart of me!

On the sun's rainbow of westering rays,
By Your angels spread mightily over the sky,
Shall, a century hence, men reverently gaze
And, gazing, shall die!
Ere I to my nothingness humbly agree –
Sad heart of me!

Written at sunset, off Alexandria

POŚRÓD NIESNASKÓW PAN BÓG UDERZA...

Pośród niesnasków Pan Bóg uderza
W ogromny dzwon,
Dla słowiańskiego oto Papieża
Otwarty tron.
Ten przed mieczami tak nie uciecze
Jako ten Włoch,
On śmiało, jak Bóg, pójdzie na miecze;
Świat mu - to proch!

Twarz jego, słowem rozpromieniona,
Lampą dla sług,
Za nim rosnące pójdą plemiona
W światło - gdzie Bóg.
Na jego pacierz i rozkazanie
Nie tylko lud –
Jeśli rozkaże, to słońce stanie,
Bo moc - to cud!

On się już zbliża - rozdawca nowy
Globowych sił:
Cofnie się w żyłach pod jego słowy
Krew naszych żył;
W sercach się zacznie światłości Bożej
Strumienny ruch,
Co myśl pomyśli przezeń, to stworzy,
Bo moc - to duch.

A trzebaż mocy, byśmy ten Pański
Dźwignęli świat:
Więc oto idzie Papież Słowiański,
Ludowy brat; –

Oto już leje balsamy świata
Do naszych łon,

OUR SLAVIC POPE

God's bell the Conclave's petty strife has stilled;
Its mighty tone
The harbinger of Slavic hopes fulfilled –
The Papal Throne!
A Pope who'll not - Italian-like - take fright –
At sabre-thrust
But brave as God Himself, advance to fight –
His world - but dust!

Made radiant by the Word, the Pontiff's face
A torch that guides
The faithful swarming towards that lighted place
Where God resides.
Obedient to his prayer and his command,
Not only men,
But, if he wills, the sun itself will stand:
Power beyond ken!

Now he approaches, he whose hand contains
Globe-spanning forces:
He whose word turns back along our veins
The blood that courses.
Divine enlightenment, a mounting spate,
Informs mankind:
Whereby to think a thought is to create:
Power of the mind!

To bear our load - this world by God designed –
Such power we need:
Our Slavic Pope, a brother to mankind,
Is there to lead!

With balm from all the world, our soul's torment
Is soothed by him:

Hufiec aniołów kwiatem umiata
Dla niego tron.
On rozda miłość, jak dziś mocarze
Rozdają broń,
Sakramentalną moc on pokaże,
Świat wziąwszy w dłoń.

Gołąb mu słowa usty wyleci,
Poniesie wieść,
Nowinę słodką, że Duch już świeci
I ma swą cześć;
Niebo się nad nim piękne otworzy
Z obojga stron,
Bo on na tronie stanął i tworzy
I świat - i tron.

On przez narody uczyni bratnie,
Wydawszy głos,
Że duchy pójdą w cele ostatnie
Przez ofiar stos;
Moc mu pomoże sakramentalna
Narodów stu,
Moc ta przez duchy będzie widzialna
Przed trumną tu.

Wszelką z ran świata wyrzuci zgniłość,
Robactwo, gad,
Zdrowie przyniesie, rozpali miłość
I zbawi świat;
Wnętrza kościołów on powymiata,
Oczyści sień,
Boga pokaże w twórczości świata,
Jasno jak dzień.

(1848)

About his flower-decked Throne a regiment
Of cherubim.
Love he distributes, as do kings today
Weapons dispense:
The world he gently brings beneath his sway –
With sacraments.

His word, like dove set free, takes instant flight,
The news proclaims
That yet the Holy Spirit sheds its light,
Devotion claims!
The heavens above him open wide their gates
While he alone,
Sits on his Throne and humbly re-creates
Both Earth and Throne.

Among the nations, with a brother's love,
He spreads the word:
Man must, to reach his final goal above,
Brave fire and sword.
The sacramental power of realms untold –
His willing slave:
Power that the soul of man may yet behold
Before the grave!

From the world's wounds he laves corruption's blight,
The maggots teeming;
Health he restores, fanning our Love alight –
The world redeeming.
Sweeps out our churches, makes the portals gleam,
That everyone
May see his God, within Creation's scheme,
Shine like the sun!

(1848)

[ROZMOWA Z PIRAMIDAMI]

Piramidy, czy wy macie
Takie trumny, sarkofagi,
Aby miecz położyć nagi,
Naszą zemstę w tym bułacie
Pogrześć i nabalsamować,
I na późne czasy schować?
– Wejdź z tym mieczem w nasze bramy,
Mamy takie trumny - mamy.

Piramidy, czy wy macie
Takie trumny, grobowniki,
Aby nasze męczenniki
W balsamowej złożyć szacie;
Tak, by każdy na dzień chwały
Wrócił w kraj, choć trupem cały?
– Daj tu ludzi tych bez plamy,
Mamy takie trumny, mamy.

Piramidy, czy wy macie
Takie trumny i łzawice,
By łzy nasze i tęsknice
Po ojczystych pól utracie
Zlać tam razem - i ostatek
Czary dolać łzami matek?
– Wejdź tu... pochyl blade lice,
Mamy na te łzy łzawice.

Piramidy, czy wy macie
Takie trumny zbawicielki,
Aby naród cały, wielki,
Tak na krzyżu, w majestacie,
Wnieść, położyć, uśpić cały
I przechować - na dzień chwały?

[CONVERSATION WITH THE PYRAMIDS]

Pyramids, have you beneath you
Tombs and coffins where our blade,
Naked, may be safely laid?
Vengeful sword may we bequeath you
To embalm and so preserve it,
Until later years conserve it?
"Place the sword in our safe keeping;
Neath us, coffins such are sleeping."

Pyramids, yet are you minding
Tombs with slaves at your behest,
Where our martyred dead may rest –
Cerecloths stout about them winding?
That each one may whole, if slain,
Go in triumph home again?
"Spotless heroes, these may know us:
Coffins such we have below us."

Pyramids, beyond divining,
Have you coffins, wailing urn,
Where the tears of hearts that yearn
May, for ravished homeland pining,
Mingle all - if lacks the cup –
Mothers' tears shall fill it up.
"Enter, bow your pallid brow;
Wailing urns we have enow."

Pyramids, yet stand you sentry,
Saviour-coffins in your keep,
Where a nation great may sleep?
On the cross, may she gain entry
And be lowered, laid away,
Lulled in peace till victory-day?

- Złóż tu naród, nieś balsamy,
Mamy takie trumny, mamy.

Piramidy, czy została
Jeszcze jaka trumna głucha,
Gdzie bym złożył mego ducha,
Ażby Polska zmartwychwstała?
– Cierp a pracuj! i bądź dzielny,
Bo twój naród nieśmiertelny,
My umarłych tylko znamy
A dla ducha trumn nie mamy!

"Lay her here! Bring balm to sweet her;
We have coffins such to greet her."

Pyramids, beyond detection,
Is there yet one coffin dumb
Where my spirit may succumb
Until Poland's resurrection?
"Work and suffer, fate defying,
For your nation is undying;
We who but the dead inherit,
Have no coffins for the spirit!"

TEOFIL LENARTOWICZ
1822 -1893

ANIOŁ I DZIEWCZYNA

Do ślubu dziewczę główkę stroiło,
To przymierzyło, to odrzuciło.
Do złotych włosów bierze fijołek,
I chociaż piękna, żywy aniołek,
Odrzuci kwiatek i dziwna cała,
To się zaśmiała, to zapłakała.
"O miły Boże, jakże nieładnie,
Czy nic do twarzy mi nie przypadnie?
Gdzież najpiękniejsze kwiaty w dąbrowie?"
Aż jej po cichu anioł odpowie:
"Spojrzyj w krynicę, jak się w niej płoni
Rumiane lice kwiatem jabłoni".
"A gdzież są dla mnie perły na szyję?"...
"Perłami łezka za łezką bije".
"A gdzież weselna moja muzyka?"
"Ciche westchnienie w fali wietrzyka".
"A rozkosz moja w chwili zamęścia?"
Lecz anioł uciekł od tego szczęścia.

THE ANGEL AND THE MAIDEN

The bride-to-be her locks adorned,
Considered this, while that she scorned:
A violet set mid golden hair,
And, though as living angel fair,
She strangely cast the flower away,
Twixt tears and laughter, then did say:
"Dear God, how ugly I must be!
Will nothing with my face agree?
Where do the oak-grove's fairest flowers hide?"
Thereto, an angel quietly replied:
"Glance at the mirror! See how in it blush
Cheeks aflame with apple-blossom flush –"
"But no fine pearls my neck caress -"
"Your tear-drops are your pearls, no less –"
"And wedding-music which I crave?"
"Soft sighing breeze across the wave -"
"And what delight shall bless my marriage-bed?"
But, at the thought of that - the angel fled.

BITWA RACŁAWICKA
Fragment

Różni ludzie przychodzili,
Po drodze stawali,
Wedle stanu na Ojczyznę
Co mieli, dawali.
Szlachcic przywiódł kania z rzędem
Od srebra, od złota;
Na wojaka, jedynaka,
Niewiasta sierota;
Pokłoniła się do ziemi
Przed starszymi wdowa;
Chciała gadać, rozpowiadać,
Zabrakło jej słowa;
Jedno tylko wymówiła,
Rzęsną łzą zalana:
– Lat szesnaście chłopiec skończy,
Na świętego Jana.

Do Racławic ciągną nasi
Po cztery, po cztery;
Madaliński z hułanami,
Potem kosyniery.
Przed narodem
Ludzie przodem
Dwie chorągwie niosą:
Na czerwonej,
Wyrobiony,
Złoty snopek z kosą;
A na białej,
Srebrnej całej,
Czystym złotem dziana,
Matka Boża - Niebios Pana

THE BATTLE OF RACŁAWICE
Extract

Many people came to meet them,
By the roadside stood,
Rich or poor, for native land,
Offered what they could.
Gentry brought a horse and saddle,
Silver-chased or gold;
A widow brought her only son to
Join the warrior fold.
Before the officers she curtsied,
Tried to talk, explain –
But so deep was her emotion,
Words she sought in vain
One thing only did she say,
As her tears flowed on:
"He will only be sixteen,
Come feastday of Saint John."

The Polish force to Racławice,
Marches four abreast –
Madaliński's lancers leading,
Scythe-men for the rest.
Courageously,
For all to see,
They bear two banners bold:
The one, blood-red
Portrays in thread,
Corn-sheaf and scythe in gold;
The other, white –
As silver bright –
With pure gold filigree,
God's Mother shows in majesty

Stawia na kolana.
    I wiatr wiewa
    Koło drzewa,
Chorągwią przewija,
    To snop świeci
    W oczy kmieci,
To Matka Maryja,
    I głos bieży
    Na wiatr świeży
W oddaloną stronę:
    Jak łza dziecka
    Pieśń nie świecka,
"Pod Twoją obronę..."

Revered on bended knee...
As breezes whirl,
The banners twirl –
So that the emblems vary:
First, corn-sheaf flies,
Then peasant eyes
Behold the Virgin Mary.
And from men's throats,
Wind-wafted, floats –
Far-off in each direction –
Like childhood's prayer –
That pious air:
"Under Thy protection..."

CYGANKA

W młodości mej raz w cudny maj,
Pomnę, jednego ranka
Wołając wciąż: "Rękę mi daj!",
Kłaniała się Cyganka.

"Dajże mi dłoń, chłopczyku, hej!
Powróżę ci, coś powiem:
A Bógże cię w swej łasce miej,
A darz cię Boże zdrowiem".

Z sczerniałych bark opadał szmat,
Ręce się trzęsły starej;
Spojrzałem nań posłuchać rad,
Choćby i nie dać wiary.

Wśród gaju drzew Cyganów lik
Po drodze mknął z pośpiechem
I w cieniach drzew powoli nikł,
A gaj rozbrzmiewał echem.

Otwarłem dłoń: "Ha, patrz, gdy chcesz".
"Ach, złoto, srebro moje,
Szczęśliwyś ty, oj, wierz mi, wierz,
Szczęśliwe życie twoje.

Jak dąbek zdrów przeżyjesz wiek,
Nie znając, co choroby,
Przez żywot twój ni żadnych lek,
Ni żadnej ciężkiej próby.

Dla ciebie kraj, dla ciebie świat,
W szczęśliwej wiosce błogo,
Każdy ci druh, każdy ci brat,
A z wrogów, ach! nikogo".

THE GYPSY

When I was still young, one morning in May,
The memory's not yet flown –
Crying "Show me your hand!", I met on my way,
A wizened old Gypsy crone.

"Give me your palm, young master," said she,
"Your fortune let me foretell:
By God's mercy favoured may you ever be
And may He preserve you well!"

Around her tanned shoulders was gathered a shawl,
Her fingers trembled with years.
I wanted to know her mysteries all,
Yet listened with doubting ears.

Then numerous Gypsies I happened to spy,
Who stealthily crossed the glade
And in the green shadows were lost to the eye,
While echo long after played...

I spread out my palm, saying "Look, if you care!"
"Oh, precious, my darling boy!
Believe me, I see only happiness there –
Your life will be filled with joy!

You'll live to a hundred, as fit as an oak,
Never knowing a day's disease,
And never of medicine word shall be spoke,
Nor troubles disturb your ease...

Here in this village, vou'll peacefully dwell
Your country, your world, it shall be:
All men to you, brothers; all friends wishing well,
And never an enemy!"

"I nigdyż stąd od gajów, wód
Nicże mnie nie odgoni?"
Toż stara wnet bystro jak wprzód
Spojrzała po mej dłoni.

Patrzała wciąż, myślała wciąż,
Na czoło palec kładła:
"Przygotuj kij, a torbę wiąż..."
To jedno stara zgadła.

"And from this green copse, I'll be driven no more?
Nor yet from these waters banned?"
The old woman swiftly looked down as before
And studied my open hand.

Long moments she thoughtfully gazed, then at last,
Her finger to forehead she pressed:
"Make ready your cudgel; your wallet hold fast!"
That much - correctly - she guessed.

JASKÓŁKA

Cudo nasze, dziewczę nasze,
Wybiegło za sioło;
Jaskółeczka, drobne ptasze,
Lata przy niej wkoło.

A jak czasem szybko bieży
Ptaszę uprzykrzone,
Że o ledwie nie uderzy
W jej włosy kręcone.

"Daj mi pokój, moja miła!"
"Nie mogę, nie mogę.
Twój braciszek mnie wysyła
Do ciebie na drogę.

Co dzień on zza rdzawej kraty
Śpiewa piosnkę swoją:
Jaskółeczko, leć do chaty,
Zobacz siostrę moją.

Czy jej modre oczy duże
Cicha łza nie rosi?
I czy jeszcze białą różę
W jasnych włosach nosi?"

THE SWALLOW

A pretty maiden, small and fleet,
Beyond the hamlet ran;
A swallow, which she chanced to meet,
To circle her began.

But she as fast as time did rush;
The bird was in despair –
Try as it might, it failed to brush
Her plaited tresses fair.

"Oh, let me be, my swallow dear!"
"No, that I cannot do!
Your darling brother sent me here,
In loving search of you –

Day after day, through rusty grill,
Your brother sang this plea:
Fly, swallow, home and seek until
My sister you may see.

And tell me, do her blue eyes fill,
As silent tear-drops grow –
And in her hair, does she wear still
A rose as white as snow?"

KALINA

Rosła kalina z liściem szerokiem
Nad modrym w gaju rosła potokiem,
Drobny deszcz piła, rosę zbierała,
W majowym słońcu liście kąpała.
W lipcu korale miała czerwone,
W cienkie z gałązek włosy wplecione.
Tak się stroiła jak dziewczę młode
I jak w lusterko patrzyła w wodę.
Wiatr co dnia czesał jej długie włosy,
A oczy myła kroplami rosy.
U tej krynicy, u tej kaliny
Jasio fujarki kręcił z wierzbiny
I grywał sobie długo, żałośnie,
Gdzie nad krynicą kalina rośnie,
I śpiewał sobie: "Dana! oj dana!",
A głos po rosie leciał co rana;
Kalina liście zielone miała
I jak dziewczyna w gaju czekała.
A gdy jesienią w skrzynkę zieloną
Pod czarny krzyżyk Jasia złożono,
Biedna kalina znać go kochała,
Bo wszystkie liście swoje rozwiała,
Żywe korale wrzuciła w wodę,
Z żalu straciła swoją urodę.

KALINA

The guelder-rose, Kalina, stood
Beside a clear stream in a wood.
She gathered dew and sipped the showers:
In May, the sunlight bathed her flowers.
And in July, red beads she donned –
With coral draped each sprig and frond.
Arrayed thus, like a pretty lass,
She eyed the stream - her looking-glass.
The breezes daily combed her hair;
The dew-drops bathed her eyes and there –
Beside this stream, this rose indeed –
Jan carved a flute of willow-reed
And long alone he sadly played
Beside Kalina in the glade:
"Oj dana, dana!" sang each morn;
His voice across the dew was borne...
Kalina, in her leaf-green gown
Stood waiting like a girl, alone...
Till Fall, when Jan's green box was laid
Beneath a black cross in the glade...
Then poor Kalina's love was clear,
Her leaves began to disappear...
Into the stream, her beads she tossed:
For grief, all charm and beauty lost.

NICOLA
CLARK
2001

MIKOŁAJ RODOĆ
1836 -1901

BEZSTRONNOŚĆ POLITYCZNA

Niech będzie konserwatystą,
Szarym, burym, żółtym, białym,
Najczarniejszym egoistą,
Arystokratą zuchwałym,
Byle dobrym był Polakiem,
To ja, ceniąc w nim patriotę
I idąc bezstronnym szlakiem,
Najpierwszy mu przyznam cnotę.
Niechaj będzie obskurantem,
Bez zasad czy z zasadami,
Osławionym intrygantem,
Stańczykiem nad stańczykami,
Byle dobrym był Polakiem,
To ja, ceniąc w nim patriotę
I idąc bezstronnym szlakiem,
Skronie mu laurem oplotę.
Niech będzie takim Cyganem,
Że się i opisać nie da,
Tatarem, Niemcem, szatanem,
Niech Polskę zdradzi, niech sprzeda,
Byle dobrym był Polakiem,
To ja, ceniąc w nim patriotę
I idąc bezstronnym szlakiem...
Zdaje się, że głupstwa plotę.

POLITICAL IMPARTIALITY

Let him be conservative,
Light or dark grey, white or yellow,
blackest egoist alive –
The most aristocratic fellow –
If true son of Poland he,
As a patriot, I'll laud him:
Speaking quite impartially,
For his virtue I'll applaud him...
Obscurantist be his vogue
Principled or maybe not –
The most ill-reputed rogue,
Engineer of any plot –
If true son of Poland he,
As a patriot, I'll reward him:
Speaking quite impartially,
Crown of laurels I'll accord him.
Be he Gypsy, so degraded
As no language could portray –
Tartar, German, devil-aided –j
Let him Poland sell, betray –
If true son of Poland he,
I'll appraise the patriot:
Speaking quite impartially,
It would seem I'm talking rot!

ADAM ASNYK
1838 -1897

DAREMNE ŻALE

Daremne żale - próżny trud,
Bezsilne złorzeczenia!
Przeżytych kształtów żaden cud
Nie wróci do istnienia.

Świat wam nie odda, idąc wstecz,
Zniknionych mar szeregu –
Nie zdoła ogień ani miecz
Powstrzymać myśli w biegu.

Trzeba z żywymi naprzód iść,
Po życie sięgać nowe...
A nie w uwiędłych laurów liść
Z uporem stroić głowę!

Wy nie cofniecie życia fal!
Nic skargi nie pomogą –
Bezsilne gniewy, próżny żal!
Świat pójdzie swoją drogą!

IN VAIN WE SORROW

In vain we sorrow - idle fret
And futile imprecation!
Outmoded forms, no wonder yet
Can grant resuscitation.

The world won't give you back that hoard
Of visions once they've vanished;
By nothing - neither fire nor sword
Can fresh ideas be banished.

Beside the living we must stride,
Towards a new life pressing –
No laurel crown of withered pride
Our stubborn brows caressing!

The tide of life none can reverse,
Complaints no purpose serving –
Our grief boots not, nor feeble curse:
The world proceeds unswerving!

DO MŁODYCH

Szukajcie prawdy jasnego płomienia!
Szukajcie nowych, nieodkrytych dróg...
Za każdym krokiem w tajniki stworzenia
Coraz się dusza ludzka rozprzestrzenia
        I większym staje się Bóg!

Choć otrząśniecie kwiaty barwnych mitów,
Choć rozproszycie legendowy mrok,
Choć mgłę urojeń zedrzecie z błękitów,
Ludziom niebiańskich nie zbraknie zachwytów,
        Lecz dalej sięgnie ich wzrok.

Każda epoka ma swe własne cele
I zapomina o wczorajszych snach...
Nieście więc wiedzy pochodnię na czele
I nowy udział bierzcie w wieków dziele,
        Przyszłości podnieście gmach!

Ale nie depczcie przeszłości ołtarzy,
Choć macie sami doskonalsze wznieść;
Na nich się jeszcze święty ogień żarzy
I miłość ludzka stoi tam na straży,
        I wy winniście im cześć!

Ze światem, który w ciemność już zachodzi
Wraz z całą tęczą idealnych snów,
Prawdziwa mądrość niechaj was pogodzi –
I wasze gwiazdy, o zdobywcy młodzi,
        W ciemnościach pogasną znów!

TO THE YOUNG

For truth's bright flame the world explore,
Pursue the new, the undiscovered ways;
Each step into Creation's secret store
Extends the breadth of human soul the more
        And God earns greater praise!

Though myriad flowers of ancient myth you scorn
And legendary darkness put to flight,
Though fancy's mists by light of day be torn –
Never the souls of visionaries shall mourn,
        But longer be their sight!

Each epoch has its chosen aim in sight ....
And soon forgets the dreams of yesterdays.
Be guided by the torch of learning's light,
And in the work of centuries unite:
        The future's city raise –

But trample not the altars of the dead,
Though you yourselves may even finer lay –
Yet on them burns the sacred fire as red,
And Man's regard stands watchful at their head:
        To them your homage pay!

And when the world is all in darkness laid,
Grown dim the rainbow of your dreams ideal –
May wisdom true preserve you undismayed...
Your stars, O youthful conquerors, will fade
        And darkness all conceal!

LIMBA

Wysoko na skały zrębie
Limba iglastą koronę
Nad ciemne zwiesiła głębie,
Gdzie lecą wody spienione.

Samotna rośnie na skale,
Prawie ostatnia już z rodu...
I nie dba, że wrzące fale
Skałę podmyły u spodu.

Z godności pełną żałoby
Chyli się ponad urwisko
I widzi w dole pod sobą
Tłum świerków rosnących nisko.

Te łatwo wschodzące karły,
W ściśniętym krocząc szeregu,
Z dawnych ją siedzib wyparły
Do krain wiecznego śniegu.

Niech spanoszeni przybysze
Pełzają dalej na nowo!
Ona się w chmurach kołysze –
Ma wolne niebo nad głową!

Nigdy się do nich nic zniży,
O życie walczyć nie będzie –
Wciąż tylko wznosi się wyżej
Na skał spadziste krawędzie.

Z pogardą patrzy u szczytu
Na tryumf rzeszy poziomej...
Woli samotnie z błękitu
Upaść strzaskana przez gromy.

THE STONE-PINE

High on cliff-top, bare and stark,
Needle-crowned, the stone-pine grows;
Poised above the valley dark
Where the frothing river flows.

On the cliff she thrives alone,
Rare survivor of her race.
Far below her, all unknown,
Waves are gnawing at her base.

Over the abyss she leans,
Tragically dignified –
Sees below how the ravine's
Upstart spruce have multiplied.

Dwarflike, surging overnight,
On they came in serried row –
Drove her from her place of right
To the realms of endless snow.

Groundlings with their lordly ways
Strive to reach her, let them try!
Cloud-embraced, the stone-pine sways:
Overhead, the boundless sky!

She'll not stoop to please her foes –
Struggle to defend herself –
But ever higher, taller grows,
Perched upon her rocky shelf.

All disdaining, she defies
Triumphs of the vulgar caste:
Sooner plummet from the skies,
Shattered by a lightning blast!

* * *

Na dzieci spada win ojcowskich brzemię;
Lud pokutuje za grzechy zbrodniarza;
Każde gwałcące sprawiedliwość plemię
Cierpień i nieszczęść ludzkich przysparza.

Złe, jak zaraza, w lot obiega ziemię...
A czy na sobie łachman ma nędzarza,
Czy też w książęcym kroczy diademie,
Zatrutym tchnieniem cały świat zaraża.

Wobec praw, światem rządzących wszechwładnie,
Nikt ujść nie może złych wpływów przekleństwa;
Każdemu w dziale część winy przypadnie

Nawet za cudze zbrodnie i szaleństwa;
Bo każdy nosi w duszy swojej na dnie
Odpowiedzialność wspólną człowieczeństwa.

* * *

Upon the children weighs their fathers' fault,
The crimes of felons all must expiate;
If equity, one nation dares assault
The woe of all Mankind is made more great.

Thus pestilence the earth may swift enthral,
Be victim but in beggar's rags bedecked,
Or nobly tread in prince's crown withal:
Its fevered breath the whole world will infect.

By laws almighty which on earth hold sway,
Escape the curse of evil deeds none can;
To each, there falls his share of guilt to pay

For crimes and lunacy of foreign clan!
For each bears in his soul, hid far away,
Responsibility of Man for Man...

ULEWA

Na szczytach Tatr, na szczytach Tatr,
Na sinej ich krawędzi
Króluje w mgłach świszczący wiatr
I ciemne chmury pędzi.

Rozpostarł z mgły utkany płaszcz
I rosę z chmur wyciska –
A strugi wód z wilgotnych paszcz
Spływają na urwiska.

Na piętra gór, na ciemny bór
Zasłony spadły sine;
W deszczowych łzach granitów gmach
Rozpływa się w równinę.

Nie widać nic - błękitów tło
I całe widnokręgi
Zasnute w cień, zalane mgłą,
Porżnięte w deszczu pręgi;

I dzień, i noc, i nowy wschód
Przechodzą bez odmiany –
Dokoła szum rosnących wód,
Strop niebios ołowiany.

I siecze deszcz, i świszcze wiatr,
Głośniej się potok gniewa;
Na szczytach Tatr, w dolinach Tatr
Mrok szary i ulewa.

RAINSTORM

On Tatran peaks, on Tatran peaks,
Each crest and ridge embracing –
Enthroned in mist, the tempest shrieks,
The sombre storm-clouds chasing.

A cape of woven mist it draws,
From clouds the moisture wringing.
While torrents from its streaming jaws
Into the valley flinging.

Round mountain-base and forest place,
The mist its veil has spread
And tears of rain upon the plain
By granite walls are shed.

Now all is hid, the heaven's waste,
As far as eye can strain,
Concealed by mist and shadow-laced,
Tormented by the rain.

So day, then night, then dawn once more
Unchanging onward marches;
All round, the rising waters roar
Neath heaven's leaden arches.

With whips of rain the tempest flails;
The angry flood rampages;
On Tatran peaks and Tatran vales:
Dusk - and the storm still rages.

SZCZĘSNA
(Józefa Bąkowska)
1861-1933

LIST

Chciałam list pisać do ciebie
　　Na listku róży,
Lecz listek mógłby zaginąć
　　W chaosie burzy;
Chciałam na skrzydłach motyla
　　Złoconym wzorem
Pisać do ciebie, lecz motyl
　　Ginie wieczorem.
Chciałam list oddać zdrojowi
　　W górach szumnemu,
Ale zdrój mógłby list odnieść
　　Komu innemu.
Więc chciałam list rzucić z gwiazdą
　　W dół spadającą,
Lecz duszę by twą paliła
　　I tak gorącą!
Chciałam znów list mój zaczepić
　　O błysk na niebie,
Ale się bałam, by piorun
　　Nie zabił ciebie!
I tak nie zjawia się poseł
　　Dosyć bezpieczny,
A list mój leży do ciebie
　　Taki serdeczny!

THE LETTER

I wanted to write you a letter, my love,
        On a rose-leaf;
But feared in the blast of a tempest it might
        Well come to grief.
Then in gold, on a butterfly's wing, I
        Thought I might write –
Only I know, alas, butterflies frail
        Die before night.
I wanted to send you a letter, my love,
        By a whispering brook;
But what if it erred and somebody else
        For my sweetheart mistook?
I wanted to send you the letter, my love,
        By a shooting star;
Only its flames, as it fell through the sky,
        Might set you on fire.
I wanted to fasten my letter at last
        To the lightning above,
But feared that the flash of its fury might
        Kill you, my love.
No envoy I've found to carry my words,
        Sufficiently true –
So, there full of feeling - unposted it lies:
        My letter to you.

KAZIMIERZ PRZERWA-TETMAJER
1865 -1940

* * *

Ku mej kołysce leciał od Tatr
o skrzydła orle otarty wiatr,
o limby, co się patrzą w urwisko–
leciał i szumiał nad mą kołyską.

I w serce moje na zawsze wlał
tęsknot do orlej swobody szał,
i tę zadumę limb, co się ciszą
wielką objęte w pustce kołyszą.

* * *

To my cradle from the Tatras pressed
A wind by eagle-wings caressed –
By pine-trees gazing on ravines
To whisper at my cradle-screens.

And in me did wild yearning grow
For the freedom only eagles know;
The dreams of a gently swaying pine
In endless silence wrapped, are mine.

POD PORTICI

Szmaragdowe tafle szklanne,
monotonne, nieustanne,
w srebrną piętrzą się fontannę,
bijąc w brzeg,
i rzucając dyjamenty,
promieniste na odmęty,
i w promienne wiją skręty
kropel śnieg.

Wielki okręt port opływa,
fala modra, srebrnogrzywa
idzie cicha i leniwa
za nim w ślad;
a gdy wiatr ją silniej trąca,
z głębin zrywa się do słońca
na kształt białych bielejąca
ptasich stad.

OFF PORTICI

Glassy emerald expanses
Whose monotony entrances –
Sea with silver fountains' dances
Beating on the shore.
Rearing foam-jets, diamond-hurling
In bejewelled radiance whirling;
Mid the brilliant chaos swirling,
Snow-flakes pour.

Past the port, a vessel sailing;
While the grey-maned blue waves trailing
Noiseless, leisurely unfailing
From her furrow break,
Which the wind then keenly smiting –
To the sun as though affrighting –
Turns to flock of gulls with lighting;
Wings, above her wake.

W ZATOCE NEAPOLITAŃSKIEJ

Srebrno-modra, jak metal błyszcząca,
nieskończonych wód powierzchnia leży;
słońce wsparło się o wodę blaskiem
i zasnęło w błękitnej bezbrzeży.

Jaka dziwna, jaka dziwna cisza,
jaki dziwny spokój w tej naturze...
Wszystko tonie: woda, ziemia, niebo,
w przezroczystym, świetlistym lazurze.

W jeden lazur świat się zmienia cały,
cisza ziemi – senną nieba głuszą;
w jeden lazur świat zmieniony zda się
być swą własną zadumaną duszą.

IN THE GULF OF NAPLES

Silver-blue, like metal brightly shining,
Extends the boundless surface of the sea.
The sun is mirrored in the gleaming water
And slumbers in this blue infinity.

How strange, how strange this utter silence is!
How rare in nature such a peace is found,
For heaven, earth and ocean are together
In sparkling, transparent azure drowned.

To vast expanse of blue the world transforming –
Earth's silence and the heavens' drowsy waste;
Like one's own musing soul the changed world seeming
In one great universe of blue embraced...

* * *

Z daleka patrzą na mnie twe oczy
błękitne, duże,
a chociaż takie są jasne jak słońce,
powiek nie mrużę.

Powiek nie mruże i nie olśniony
tym blaskiem, stoję,
bo jak lód zimne, choć jak słońce jasne,
są oczy twoje.

* * *

From far off, your eyes regard me –
        So blue, so immense;
I blink not, although they glitter
        As sunlight intense.

I blink not; undazzled, I suffer
        Their brilliant shine –
Ice-cold, though bright as the sun,
        Your eyes look at mine.

NICOLA CARR 2001

STANISŁAW WYSPIAŃSKI
1869 -1907

WESELE
Fragment sceny 7 z aktu II

Arcydzieło Wyspiańskiego - klasyka literatury polskiej - po raz pierwszy zostało wystawione w 1901 r. Wśród rzeczywistych i fantastycznych gości uroczystości weselnej znajduje się Dziennikarz (Rudolf Starzecki), rozpaczający nad sytuacją Polski, oraz zjawa Stańczyka - królewskiego błazna z przeszłych wieków, który wspomina potęgę Polski "uosobioną" w sławnym dzwonie Zygmuntowskim.

STAŃCZYK

Łzy ze źródła!
Tyle żalów o nieswoje!?
A cóż tobie niepokoje
tych, co w grobach leżą?
Myślisz - że się trupy odświeżą
strojem i nową odzieżą –
a ty z trupami pod rękę
będziesz szedł na Ucztę-mękę:
i jako potrawy żuł,
czym się tylko kiejś kto truł;
wsączał w siebie i pił,
czym tylko kto gdzie gnił;
czy to ma być twoja krew?!

DZIENNIKARZ

Moja krew, moja krew –
czy ja wiem - okrzyk mew,
gdy gonią ponad skały,
okrzyk mew osmętniały,
żałośliwy, straszny,
gdy od brzegu odbiegły daleko.
Morze ciche, strop się chmurzy,
ale burza i orkan daleko.
Tylko głuchość i pustka bezmierna –
a tu skrzydła rozchwiane do lotu,
nie pragną, nie pragną powrotu
i wiedz, że tam, gdzie dążą,

THE WEDDING
Extract from Act II, Scene 7

Wyspiański's masterpiece - a national classic - was first performed in 1901. Real and imaginary guests at the wedding ceremony include a Journalist (Rudolf Starzecki), in despair over Poland's plight, and the ghost of Stańczyk, the royal jester of centuries past, who recalls Poland's former strength, "personified" by the famous bell named after King Zygmunt I.

STAŃCZYK
Tears in style!
Grief so great for others' woes!?
Why adopt the cares of those
Long since dead? Do you suppose
Corpses you can resurrect –
Dusted down and newly decked –
Lead them under your command
To some Last Supper in the land,
There to eat a dish so rare –
Only a poisoner could prepare,
Lap it up and swill the lot
With a draught to speed the rot;
Must it be your blood they drink?!

JOURNALIST
My blood -? Don't know what to think!
Sea-gulls screech in headlong chase,
High above the cliffs they race.
Hear those melancholy cries –
Haunting, full of grief –
Out at sea, beyond the reef.
Ocean still - sky overcast,
But no sign of hurricane –
Total silence, emptiness...
Straining wings, with steady beat,
The gulls press onward, no retreat –
Knowing that, where they are bound,

wylądu szukać daremno;
przekleństwu swojemu wierne,
lecą - i nie śmieją ustać,
aż krew do ust pocznie chlustać
ze znużenia - wtedy padną,
łzą nie pożegnane żadną,
bo śmierć ulga, ulga zgon.

STAŃCZYK
Zaśpiewałeś kruczy ton;
tobież tylko dzwoni w głuszy
pogrzebowych jęków dzwon?

A słyszałżeś kiedy, z wieży
jak dźwięczy i śpiewa On?

DZIENNIKARZ
Zygmunt, Zygmunt...

STAŃCZYK
Dzwon królewski: –
Siedziałem u królewskich stóp,
królewski za mną dwór:
synaczek i kilka cór,
Włoszka - a wielki chór
kleru zawodził hymny;
a dzwon wschodził.
Patrzali wszyscy w górę,
a dzwon wschodził –
zawisnął u szczytów
i z wyżyn się rozdzwonił:
głos leciał, polatał,
kołysał się górnie,
wysoko, podchmurnie –
a tłum się wielki pokłonił.
Pojrzałem na króla,
a król się zapłonił...
Dzwon dzwonił

They will seek a perch in vain.
Faithful to their curse, they fly –
None dare pause, league after league –
Spitting blood from sheer fatigue
When at last they plunge from sight,
Not a tear to mourn their plight:
Death's a welcome, restful haven.

STAŃCZYK
As you speak, thus spoke the raven:
All you hear's the tolling bell,
Commemorating those who fell;

Haven't you heard the belfry ring
With joy? Nor mighty Zygmunt sing?

JOURNALIST
Zygmunt, Zygmunt...

STAŃCZYK
The King's own bell:
Once at the royal feet I sat,
The court behind me, daughters, sons;
Italian Queen, monks, priests and nuns –
Chanting plaintive benisons –
When suddenly the bell was rung
And everyone at once looked up.
Aloft, great Zygmunt swung and swung
And from the tower his voice rang out
Flying, floating all around
Cradled in the upper air –
The very clouds were made aware;
And every head was bowed, devout.
I looked at the King –
And the King's face shone
As Zygmunt thundered - on and on.

LUCJAN RYDEL
1870-1918

* * *

Wiatry zwiały
Ten kwiat biały
    Z pachnącej jabłoni,
We mgle bladej
Stoją sady,
    I słowik nie dzwoni.

Później, wcześniej
Sen się prześni
    I kochać przestanę…
Pod powieką
Łzy mnie pieką –
    Łzy niewypłakane...

* * *

Winds have put to flight
Apple-blossom white
    Whose fragrance still clings;
Wrapped in pale mist,
The orchards list...
    No nightingale sings.

Sooner or later I
No more shall dream and my
    Love will have fled;
Under my eye-lids steal,
Tears I can burning feel –
    Tears still unshed...

NICOLA
CLARK
2001

TADEUSZ MICIŃSKI
1873-1918

* * *

Kiedy cię moje oplotą sny –
jak białe róże –
Nie bój się kochać - ja - i ty
w nieba lazurze.
Ziemia, jak echo minionych dni,
grające w borze,
a nasze duchy wśród martwych pni
wieszają zorze.
Serce mi splatasz koroną gwiazd,
hymnem warkoczy –
pode mną góry, wieżyce miast –
nade mną - oczy.
Dziwnie się srebrzysz, aniele mój,
w tęczowym piórze –
fontanny szemrzą, gwiazd iskrzy rój –
wonieją róże...

* * *

When my dreams, about you, like roses white,
Are tenderly twining –
Let then our love you and me not affright,
Beneath heaven reclining.
The earth, like an echo of days long past,
Through forest resounding –
The earth and our souls hold the pale dawn fast,
The dumb trees surrounding.
My heart weaves the stars to a luminous crown,
With hymn strange and lovely:
Below me the mountains, the spires of the town,
And your eyes above me.
You are silvered, my angel! A rainbow of light
Your plumage discloses:
Whispering fountains, star-clusters bright...
The fragrance of roses...

NOKTURN

Las płaczących brzóz
śniegiem osypany,
pościnał mi mróz
moje tulipany.
Leży u mych stóp
konająca mewa –
patrzą na jej trup
zamyślone drzewa.
Śniegiem zmywam krew,
Lecz jej nic nie zgłuszy –
słyszę dziwny śpiew
w czarnym zamku duszy.

NOCTURNE

Wood of weeping birch,
Branches bowed with snow,
Frost in heartless search
Laid my tulips low.
At my feet, there lies
A gull whose life is spent –
The birch-trees' musing eyes
Fragile corpse lament.
With snow the blood I lave,
But cannot hush the wrong;
Within my soul's black cave,
I hear an unknown song...

W HIMALAJACH

Poją mnie wrzosy, paprocie miedziane
i srebrne słońce, i lazur głęboki.
Płyną –
        doliną - potoki wezbrane –
łączą się –
        sączą - przez śniegi, opoki –
łona –
        ramiona tulą się w obłoki.
Duch mój okrąża Himalajów szczyty
grody –
        pagody tylko sercu znane –
w sennym klasztorze - spoglądam na morze,
złotą, błękitną, migotną Nirwanę –
w czarne, bezdenne, spienione granity.

IN THE HIMALAYAS

I can see heather and ferns' copper lacing,
sun that is silver, the sky's deep blue glow:
rushing and
            gushing - the flood-waters racing –
merging and
            surging - through rocks and through snow –
in the bright clouds –
                        arms and bosoms embracing.
To the steep summits, my spirit ascending,
Hovers –
            discovers pagoda and keep –
drowsy in cloistered ease - gazing across the seas –
gold-glimmering, blue-shimmering Nirvana where
                                                            sleep
black granite fastnesses, deep and unending.

LEOPOLD STAFF
1878 -1957

DZIECIŃSTWO

Poezja starych studni, zepsutych zegarów,
Strychu i niemych skrzypiec, pękniętych, bez grajka,
Zżółkła księga, gdzie uschła niezapominajka
Drzemie - były dzieciństwu memu lasem czarów.

Zbierałem zardzewiałe, stare klucze... Bajka
Szeptała mi, że klucz jest dziwnym darem darów,
Że otworzy mi zamki skryte w tajny parów,
Gdzie wejdę - blady książę z obrazu Van Dycka.

Motyle-m potem zbierał, magicznej latarki
Cuda wywoływałem na ściennej tapecie
I gromadziłem długi czas pocztowe marki...

Było to jakby podróż szalona po świecie,
Pełne przygód odjazdy w wszystkie świata części...
Sen słodki, niedorzeczny, jak szczęście... jak szczęście...

CHILDHOOD

The poetry of old wells, clocks ripped asunder,
An attic and a fiddle long unstrung,
A book between whose yellowed pages clung
Forget-me-nots – my childhood filled with wonder.

I saved old, rusty keys and hunted for
The magic one which, in my fairy-tale,
Unlocked a castle, hid in secret vale,
Which I, Van Dyck's wan prince, would then explore.

I hoarded butterflies; a lantern-slide
Its miracles would conjure on a sheet;
For years a stamp collection was my pride,

Whisking me round the world in frenzy fleet,
With chance departures to exotic climes:
Sweet, silly dream - but, oh, what happy times!

JÓZEF MĄCZKA
1888 -1918

MATULI MOJEJ

Fragment

A kiedy przyjdzie zbożny czas,
    że zmilkną już armaty –
może powrócim obaj wraz
    do progów Twojej chaty,

jako z rodzinnych ongiś niw
    wracalim w czas spokojny
powiadać dzieje kłośnych żniw,
    gdy dzień się kończył znojny!

I radość z nami wejdzie w próg,
    i zmilknie łez niedola –
jeśli pozwoli dobry Bóg,
    że wrócim razem z pola...

A kiedy przyjdzie zbożny czas,
    że zmilkną już armaty –
może choć jeden wróci z nas
    do progów Twojej chaty...

Nie przyjdzie - rzecze - brat ze żniw
    całować Twoje dłonie...
powalił ci go sen wśród niw
    na zżętym hen zagonie!...

W dalekim polu brat śpi mój,
    w skrwawionej legł koszuli...
i medalionik - i list Twój
    do piersi zimnej tuli!...

(1915)

Józef Mączka

TO MY MOTHER

Extract

When dawns at last the blessed day
        That gun-fire's heard no more,
Perhaps we both shall find our way
        Back to your cottage door.

As from the nearby fields we came
        In peaceful times bygone,
The harvest's richness to proclaim,
        The moment work was done.

With us your joy you would regain
        No more sad tears would burn,
Were God but to allow us twain
        From far fields safe return.

But when the blessed day arrives
        That gun-fire's heard no more,
What if but one of us survives
        To knock upon your door?

My brother won't return again
        To kiss your hand, alas;
Sleep laid him on a foreign plain
        Amid the new-mown grass.

There far away, he slumbers on,
        In blood-stained shirt at rest –
Your letter and medallion,
        To his cold bosom pressed.

(1915)

2001

MARIA PAWLIKOWSKA-JASNORZEWSKA
1891-1945

NAJPIĘKNIEJSZY SEN

Wczoraj śnił mi się znów, dla odmiany,
najpiękniejszy mój sen - niezrównany! –
o pływaniu w powietrzu jak w wodzie.

Ludzie ze snu nic o tym nie wiedzą.
Wciąż się szczycą postępem i wiedzą
i są z prawem grawitacji w zgodzie.

Siedzę z nimi, piję czarną kawę,
omawiamy rzeczy nieciekawe,
wychwalamy jakąś panią okropną...

Nagle strącam talerzyk i ciastko,
skaczę na stół, ręce składam spiczasto
i wypływam przez otwarte okno.

W niebie czystym jak turkus i diament
słyszę z dołu dochodzący lament,
krzyk, że diabeł mnie porwał w powietrze!

Tłum ponury zalega ulice –
zapalają kadzidło, gromnice –
widzę twarze od papieru bledsze.

Więc odpływam coraz dalej i dalej,
bryły wiatru roztrącam jak fale,
zaśmiewając się z głupiej parafii –

z sercem twardym, unurzanym w dumie,
że tej sztuki nikt prócz mnie nie umie –
każdy patrzy, a nikt nie potrafi.

Odpoczywam na drzewnych wierzchołkach
i w obłokach udaję aniołka,
choć policjant z dołu na mnie woła.

MY LOVELIEST DREAM

I dreamt it again, for a change, last night –
That lovely - incomparable - dream about flight:
Of swimming through air, as one swims through the sea.

The folk in my dream are quite unaware.
By progress and science and so forth they swear;
With gravity's law they completely agree.

Together we sit, drink black coffee and chat
About nothing particular - just this and that –
Heaping praise on some woman we all know is grim.

I suddenly push my cake-plate aside,
Jump on the table, stretch finger-tips, glide –
And out, through the wide-open window, I swim.

With a sky pure as diamond and turquoise all round,
I hear their lament rising up from the ground:
A shout - she's been seized by the devil to rape her!

Sullen crowds fill the streets and the alleys below –
Burning incense and praying, with candles aglow.
Upturned faces I see, gleaming paler than paper.

Still farther and higher, I swim on through space,
Cleave the winds, as they jostle like waves in my face.
Making mock of the small, stupid world at my feet:

Stout-hearted and self-assured, proofed by my pride
For I've mastered an art, to all others denied.
They look up in envy; but none can compete!

To rest on the top of a tree I alight;
In the clouds, I pretend I'm an angel, despite
A policeman I hear below, calling me down.

I znów pływam najnowszą metodą,
wzdycham piersią niestrudzoną, młodą,
i jaskółki odgarniam znad czoła.

Potem w dali doganiam pilota,
co się w chmurach koziołkuje i miota,
głową na dół, wśród wspaniałych skrętów.

Ścigam jego samolot po niebie –
aż mnie wciąga silną ręką do siebie,
jak syrenę, co się czepia okrętu.

O, nie całuj, nie całuj, pilocie!
Nie ogarniaj mnie ramieniem w locie,
bo za prędko spadniemy na ziemię.

Twarz masz słodką, brązową i świętą,
ascetyczną jak mnich z quattrocento,
szczęście moje pod Twym skrzydłem drzemie

A wieczorem powracam piechotą –
siadam w domu pod żarówką złotą,
jakby nigdy nic nie było zaszło.

Wszyscy siedzą, uroczyści ogromnie,
obrażeni, nikt nie mówi do mnie –
przecierają okulary i kaszlą.

Again I swim on, in my up-to-date style,
Breathing tirelessly, youthfully, mile after mile,
And I sweep aside swallows that flit round my crown.

I'm chasing a pilot I spot, looping loops –
Cartwheeling through clouds in magnificent swoops:
Upside down, as he twists and rolls, risking his neck.

I follow his plane, where it streaks through the sky,
Till a powerful hand hauls me in. There am I
Like a siren, stuck fast to the ship she would wreck.

Don’t kiss me, brave pilot! Don't kiss at this height!
Don't try to embrace me - not while we're in flight,
Or a swift earthward plunge could put paid to our fling!

You've the sweet kind of saintly, bronzed face I admire –
Quattrocento, ascetic - the looks of a friar.
My happiness lies in wait under Your wing.

That evening on foot, I return to the fold:
Home and a drawing-room, lamp-lit in gold,
As though nothing had happened worthy of note.

The family sit solemnly, on the alert:
But nobody speaks to me; feelings are hurt –
Polishing spectacles, clearing the throat...

KAZIMIERZ WIERZYŃSKI
1894 -1969

SZUMI W MEJ GŁOWIE

Szumi w mej głowie jak w zielonym boru,
Przez włosy radość wielka mi się dymi,
Jam niebieskiego cały jest koloru,
Wypiwszy niebo, jak puchar olbrzymi.

Słońce, jak monokl złoty, noszę w oku,
Księżyc w pierścionku, gwiazdy w butonierce,
Siedem mil robię w każdym moim kroku
I ze czternaście ma lat moje serce.

Na śmiechu jeżdżę przez świat, jak na koniu,
Wszędzie ponosząc i zawsze z kopyta,
Turnieje z wichrem wyprawiam na błoniu
I każda brama w tryumfie mnie wita.

W duszy codziennie wesołe mam święta,
Na pocałunki liczę rok upojny,
Wszystkie kochają się we mnie dziewczęta,
Bo jestem - mówcie co chcecie - przystojny.

Młody i zdrowy, i najradośniejszy,
W gwiazd pieczęciami, jak koniak i morze,
Renesansowo-helleńsko-dzisiejszy,
Bezczelny w latach i jasny w kolorze.

I jeszcze, jeszcze!... Ach, zarozumiały
Na każdym punkcie - choćby marnym - życia,
Nigdy niesyty jego świetnej chwały,
Megalomański ekstatyk użycia!

Bo cóż mi więcej do szczęścia potrzeba,
Gdy mi wyznała prawda niezawodna,
Że wychylając wielki puchar nieba,
Niebieskiej ziemi nie wypijam do dna?

Wiersz wyraża ogromną radość, z jaką Polacy powitali odzyskanie niepodległości w 1918 r.

MY HEAD IS RUSTLING

My head is rustling like a wood in Spring;
Sparks of delight from every hair leap up.
Sky-blue all over is my colouring:
I've emptied Heaven's giant communion-cup!

I wear the sun's gold monocle in my eye –
The moon's my signet, stars my button-hole.
I take a pace and seven leagues flash by –
And I am fourteen summers young in soul.

On laughter-back, I ride about the land,
Bolting this way and that, as chance dictates,
Joust with the breezes in the meadows and –
Triumphant - everywhere find open gates!

Each day's a holy feast to celebrate.
I count the year by totalling the kisses.
The girls all fall for me; they cannot wait –
Say what you like, I'm handsome as Narcissus!

Young, healthy I could scarcely be more merry –
Star-sealed, like cognac - or the open sea!
Graeco-Renaissance, yet contemporary –
Brash in my years, bright in my livery.

What else besides? I'm thoroughly conceited
In all pursuits - not least, of idle leisure –
Unsated yet by plaudits overheated:
A megalomaniac devotee of pleasure!

What more's required to fuel my happiness,
Once that great truth immutable I seize:
While tilting Heaven's chalice to excess,
I still can't drain earth's heaven to the lees?

An evocation of the wild enthusiasm with which Poles greeted the restoration of Poland's independence in 1918.

ANTONI SŁONIMSKI
1895 -1976

NIKE SPOD SAMOTRAKI

Zrąbano twą głowę dumną
I białe twoje ramiona
I stałaś nad dziejów trumną,
Ogromna i uskrzydlona.

Jak kiedyś na greckiej nawie,
Przez morskie błękitne szlaki,
Wiodłaś narody ku sławie,
Nike spod Samotraki!

Ku tobie, bogów kochance,
Podniósł wzrok, kto był mężny,
Słyszeliśmy w *Marsyliance*
Skrzydeł twych łomot potężny.

W ludów zwycięskim pochodzie
Ty byłaś zawsze najpierwsza.
Zawsze, zawsze na przodzie,
Statuo z muzyki i wiersza.

I oto padłaś skrwawiona,
Klękłaś nogami białymi,
Wleczesz się, muzo strącona,
Jak ptak zraniony po ziemi.

Nim dzień nadejdzie daleki,
O Nike zjaw i straszydeł,
Wleczesz swój kadłub kaleki
Bez ramion, głowy, bez skrzydeł.

W tę noc najciemniejszą Europy,
Świecisz bladością z głębiny,
Gdy marmurowe twe stopy
Brodzą przez krew i ruiny.

NIKE OF SAMOTHRACE

Your pure white arms were broken
And severed your noble head –
Where you stood - immense, winged token –
On the tomb of history's dead.

Long ago, in a Grecian galley,
Across the blue seas, your race
You led in a glorious sally,
O Nike of Samothrace!

To you whom the gods loved dearly,
All heroes have raised their eyes;
The Marseillaise echoed clearly
Your wingbeat through the skies.

Of every victorious nation,
You led the advancing throng;
The vanguard was ever your station –
O statue of poem and song!

You sank to your knees, gravely wounded:
Your white legs soaked with blood;
Like an injured eagle, grounded,
Now crawling through the mud.

Till dawns that far day fated,
Mid spectres and phantom things,
Drag your body, O Muse, mutilated
No head, no arms, no wings!

Through Europe's darkness haunted,
Shall Nike yet glimmer pale,
As those marble feet, undaunted,
Through blood and ruins trail.

JAN LECHOŃ
1899 -1956

LEGENDA

Wszystkie słowa podniosłe, któreś znał ze szkoły,
Muzyka starych pieśni, wolności anioły,
Książę Józef na koniu, wiszący nad biurkiem,
I olbrzymi Batory w małej czapce z piórkiem,
I młodzieniec z Grottgera, co żegna swą miłą,
Pocztówka z Białym Orłem - wszystko to ożyło!
I oto między nimi jako brylant krwawy
Świeci mur zburzonego katedry ołtarza,
Leży kamień zwyczajny z ulicy Warszawy,
Stara chustka służącej, czapka gazeciarza.
Wśród stalowych husarzy skrzydlatego szyku
Widzisz pana niskiego w czarnym meloniku,
A dalej, gdzie więzienia gruby mur i wieże,
Generała Kleeberga podniesiona głowa,
I słyszysz - (czyś mógł myśleć?) - równie piękne słowa
Jak tamte, które kiedyś umilkły w Elsterze.

LEGEND

Uplifting speeches that you learnt at school,
Old songs of liberty from foreign rule,
Prince Józef, mounted, on the class-room wall
Batory, huge - his feathered cap so small!
And Grottger's youth who leaves his love behind –
White Eagle postcard: all come fresh to mind!
But in their midst, a jewel gleams like blood –
St John's Cathedral altar laid in ruin –
And Warsaw's cobbled streets, where in the mud,
A newsboy's cap, a servant's scarf are strewn.
See, mid the steel hussars' proud winged formation,
That little bowler-hatted man - our Nation!
Beyond, where prison walls and towers rise,
General Kleeberg's head is still held high;
Words you will hear as fine - to your surprise –
As in the Elster once were doomed to die...

STANISŁAW BALIŃSKI
1899 -1984

DRUGA OJCZYZNA

We Francji było sennie,
Noce wschodziły wcześnie,
Dnie szeleściły snami,
Żyło się trochę we śnie.

Akacje i kasztany,
Pachnące jak narkotyk,
Sączyły się przez skórę
I przytępiały dotyk.

I znieczulały rozpacz,
Krwawiącą w serca głębi,
Pod niebem, pełnym słońca,
Obłoków i gołębi...

*

Tak ją zapamiętamy
W kwietniowy dzień spokojny,
Uśpioną, jak eterem,
Przed sztyletami wojny.

Choćby nas nie poznała,
Gdy ze snu wstanie w czerni,
My ją będziemy kochać,
Zawsze będziemy wierni.

Nie zapomnimy nigdy,
Choć myśl gdzie indziej wzlata,
O tej, co była kiedyś
Drugą ojczyzną świata.

SECOND HOME

Life in France was drowsy,
Early, darkness crept.
Days whispering their fancies;
Wide awake, we slept.

Chestnuts and acacias,
As some narcotic sweet,
Filtered through the bloodstream,
Senses made effete.

Despair bled deep within us,
Which we could not descry –
Under the clouds, the pigeons,
Under the sunny sky.

*

So we shall recall her
On a peaceful June day
As, before the knife of conflict,
Etherised she lay.

Though she would not know us
When she awoke in black,
Our love and our devotion
She shall never lack.

Her, we shall remember –
Wherever thoughts may roam:
France, to a world in exile,
Was once a second home.

KOLĘDA WARSZAWSKA 1939

O Matko, odłóż dzień Narodzenia
Na inny czas,
Niechaj nie widzą oczy Stworzenia,
Jak gnębią nas.

Niechaj się rodzi Syn najmilejszy
Wśród innych gwiazd,
Ale nie u nas, nie w najsmutniejszym
Ze wszystkich miast.

Bo w naszym mieście, które pamiętasz
Z dalekich dni,
Krzyże wyrosły, krzyże i cmentarz,
Świeży od krwi.

Bo nasze dzieci pod szrapnelami
Padły bez tchu.
O święta Mario, módl się za nami,
Lecz nie chodź tu.

A jeśli chcesz już narodzić w cieniu
Warszawskich zgliszcz,
To lepiej zaraz po narodzeniu
Rzuć Go na Krzyż.

WARSAW CAROL 1939

Mother, postpone to another occasion
The day of His birth!
Let not His eyes behold His Creation –
Our torture on earth!

May the most gentle of sons be begotten
Where other stars glow –
Not here among us, I pray you, no - not in
This city of woe.

For, here in Warsaw, which you will remember
From ages long dead,
Crosses have sprouted, graves without number –
Fresh blood's been shed.

Under the bomb-blasts, our children have fallen,
The hearts of them numb;
O Holy Mary, have pity on all, only
Pray, do not come!

If yet He is born mid the shadowy horror
Of Warsaw's debris,
Better at once, let this babe born to sorrow
Be nailed to the Tree...

OSTATNIA MELODIA 1940

W dnie, pełne róż niepotrzebnych,
Gdy Paryż, jak widmo, gasł,
Biegłem do sklepu naprzeciw
Pożegnać ostatni raz

Miłą francuską dziewczynę
O twarzy świeżej jak maj,
Która wierzyła, że Francja
I wolność - to jeden kraj.

Lecz sklep zamknięty na kłódkę,
Za szybą - pusto i mrok,
W oddali dudnił już smutkiem
Posępny niemiecki krok.

Ktoś z kalendarza w pośpiechu
Odchodząc, pół kartki zdarł
I drżącą napisał ręką:
Fermé - jusqu'à la victoire!

Ta kartka, te biedne słowa,
Przybite na głuchych drzwiach,
Gonią mnie odtąd w podróży,
Melodią wracają w snach.

Paryż wyrasta za nami
Jak sklep, pełen zjaw i mar,
Na którym ktoś tak napisał:
Fermé - jusqu'à la victoire!

THE LAST MELODY 1940

That day of pointless roses
When the spectre of Paris fell,
I ran to the shop across the way
To say a last farewell

To the young and pretty French girl
With a face as bright as May,
Who believed that France and freedom
Were one - and so would stay.

But the shop was barricaded,
The panes hid lonely gloom.
In the distance echoed sadly
The German feet of doom.

Someone had torn in a hurry
A leaf from a calendar
And a trembling hand had written:
Fermé - jusqu'à la victoire!

That card and the poor words upon it,
Pinned to the silent door,
Shadow my wandering footsteps,
Sing through my dreams evermore.

Like that shop full of phantoms behind us,
The city of Paris spreads far
City where someone has written:
Fermé - jusqu'à la victoire!

PO LATACH

Ziemia zagoi rany, które jej zadały
Ręce ludzkie, do zbrodni i miłości zdolne,
Człowiek o łzach zapomni, wskrzesi ideały
I zacznie znowu wierzyć, że serce jest wolne.

Czas ukoi męczeństwa, zabliźni ruiny,
Legendami obrośnie jak pole zielenią.
Na drogi przedwieczorne wyda nasze syny
Patrzeć, jak zboże kwitnie i mgły się rumienią.

Ale na dnie uśmiechu, w zarośniętej ranie,
Cierń, uśpiony głęboko, jak garść prochu w grobie,
Niewidzialnym bić tętnem nigdy nie przestanie
I nigdy już zapomnieć nam nie da o sobie.

Nie będziemy już wtedy pragnęli napocząć
Odwetu ani mnożyć niepojętej krzywdy,
Będziemy tylko szeptać: "Bólu, daj odpocząć
Ludziom pokornej woli"...
Lecz ten ból nigdy

Nie rozpłynie się w sercu i nie da nam zasnąć!
Choć uśmiech go nie zdradzi i nie wyda słowo,
Choć życie dookoła zakwitnie na nowo,
Ludzie się będą kochać, a gwiazdy znów gasnąć.

Choć zakwitną jabłonie, przypłyną łabędzie,
Dzieci na próg wybiegną nowych witać gości,
On rytmem niewygasłym pulsować w nas będzie
Jak szept nieuleczalnie skrwawionej przeszłości.

I będziemy po nocach się budzić w koszmarze,
Zlani lękiem ciernistym, a lęku niegodni,
By szukać jakichś wspomnień, liczyć jakieś twarze,
I strącać naszą miłość w czarny wąwóz zbrodni.

YEARS AFTER

Earth's wounds, inflicted by the hand of man –
To crime or love disposed - heal fast:
No sooner tears forgot, ideals refurbished, than
Once more, man thinks his heart is free at last.

Mankind is healed, the ruins cloaked by time –
Like fields with grass - adorned with legends, lays.
The path that once we trod, our sons now climb
To view the ripening corn, the reddening haze...

Behind the smile, though - deep within the wound,
Like ashes in the grave, pain slumbers yet –
Whose unseen pulse, continuing to pound,
Will nevermore allow us to forget.

Yet we shall not upon revenge insist –
Still less, innumerable wrongs increase;
But, in a whisper, beg that pain desist –
To humble beings of good will - grant peace...

Our smiles shall not betray, nor words belie,
Though pain persist and rob us of our sleep;
Though life about us bring fresh fruits to reap,
Once more, though men may love, the stars will die.

Swans may return, the apples bloom again
And children crowd the door, new guests to greet;
Yet with unbroken rhythm throbs that pain
Of a bloody past that nothing can delete.

And we shall wake at night from some foul dream,
Torn by the barbs of fear, ashamed of this –
To seek lost faces, lit by memory's gleam –
And hurl our love into crime's black abyss.

POŻEGNANIE

Żegnaj, blasku różowy gasnących wieczorów,
I ty, gwiazdo, co błyszczysz w natchnionym sonecie,
I ty, serce, co kochasz z własnego wyboru,
Przez co ci każdy człowiek ojczyzną był w świecie.

Żegnaj, zadumo mędrca, co wśród nocy ciemnej
Pochylałaś się w oknie, gdzie kwitnęły róże,
I szukałaś w obręczach swej wiedzy tajemnej,
Jak nam przedłużyć życie o jedną noc dłużej.

Żegnaj, blada melodio minionego wieku,
Co opiewałaś wolność i miłość narodów,
I płynąc przez gwar miasta i ciszę ogrodów,
Szukałaś, niestrudzona, prawdy o człowieku.

Schylamy się nad wami jak nad pięknościami,
Które po to wzniesiono, by je stracić potem,
I po to nazywano chmurą i pieśniami,
By je zmieszać z cierpieniem i zadeptać z błotem.

Lecz kto się raz potęgą natchnienia napoił,
A teraz musi liczyć porażki i rany,
Ten należy do słabych i niepokonanych,
I więcej się ciemności i ciszy nie boi.

Bo ciemność go nie zdradzi, a cisza wysłucha,
Pójdą z nim razem ścieżką nieśmiertelnych braci
I oddadzą mu kiedyś, gdy minie noc głucha,
To wszystko, za czym tęsknił, to wszystko, co stracił.

Na horyzoncie nocy szumią czarne drzewa,
Którym wbito w korzenie ciernie nienawiści,
Cień umarłych przyjaciół żegna cię i śpiewa
Głosem cichszym od szeptu zapomnianych liści.

Pamięci przyjaciela poety - Stefana Napierskiego

FAREWELL

Farewell to you whose gleam lit evening's close,
Whose star shone through a sonnet's inspiration:
Whose heart that, loving where your fancy chose,
Its homeland found in men of every nation.

Farewell, you musing sage, who through dark night,
Where roses bloomed beside your window, thought;
Who, searching by your learning's secret light,
To stretch our life by one night longer sought.

Farewell, wan melody of age no more,
That sang of freedom, love for all mankind
And sought the truth about all men to find
In silent gardens and thronged cities' roar.

We reverenced you, as beauties are acclaimed:
First lauded, then rejected in disgust –
Praised to the skies, with verse and song proclaimed,
Then made to suffer, trampled in the dust.

But he, once fired by inspiration's spark,
Who now must count his wounds and face defeat,
Though weak, is one of those none can unseat
Who need not silence fear, nor yet the dark.

Silence will heed him; darkness not betray.
Immortal brothers walking by his side
Shall give him, as the dismal night turns grey,
All that he yearned for - all that life denied.

Black trees are rustling on night's sombre rim,
Whose buried roots the thorn of hatred cleaves;
Shades of dead friends sing last farewell to him,
In voices fainter than forgotten leaves.

In memory of Stefan Napierski, a poet-friend

SMUTNY MŁODZIENIEC

Który zafrasowawszy się z słowa odszedł smutny, albowiem miał wiele majętności.

Z Ewangelii św. Marka 10, 22

W obcym dalekim mieście, wśród słoty wieczora,
I deszczu, co się kłębił na czarnym asfalcie,
Ujrzał jakiś młodzieniec w błysku refektora
Twarz Wiecznego Przechodnia, co szedł w ciemnym palcie.

Poznał Go jak w olśnieniu i zawołał: "Panie,
Nie opuszczaj mnie więcej, bom jak Ty wygnaniec
I jak Ty jestem życia dotknięty żałobą,
Więc użal się nade mną i pozwól iść z Tobą".

Rzekł Chrystus: "Oddaj najprzód wszystko, co posiadasz,
A przyjdź". A na to człowiek wyszeptał ze łzami:
"O Panie, Ewangelię, którą opowiadasz
O młodzieńcu, co nie chciał się dzielić skarbami,

Pamiętam. Ale moje odmienne są dzieje,
Nie mam nic do oddania i nic do dzielenia,
Straciłem dom i bliskich, i kraj, i nadzieję,
I nie mam nic prócz wspomnień".
"Oddaj mi wspomnienia".

Człowiek chciał mówić jeszcze, lecz milczał pobladły,
Ważąc przez chwilę w sercu słów ciężar okrutny,
Wreszcie opuścił głowę, ręce mu opadły...
I odszedł smutny.

THE SORROWFUL YOUTH

Who being struck sad at that saying, went away sorrowful: for he had great possessions.

MARK 10, 22

In a distant foreign town, one stormy night,
Its pavements drenched by rain there caught the eye
Of a certain youth - lit by a headlamp's light –
The face of the Eternal Passer-by.

He knew Him; dazzled by the gleam, cried: "Lord,
Forsake me not, exiled - like Thee, ignored.
As Thee, life's grief has sore afflicted me –
Have pity, grant that I may follow Thee!"

Said Christ: "First give thy wealth and goods away,
Then come..." In tearful whisper he replied:
"O Lord, what in the Gospel Thou didst say
About a youth who share of wealth denied

I well recall. But different is my tale:
I've nought to give, nor yet to share with men.
I've lost my home, friends, country - hope doth fail.
I've only memories..."
"Give me memories, then!"

The youth grew pale, his answer left unsaid –
That cruelly testing challenge sought to weigh:
At last, his hands let fall and hung his head...
Then, sorrowful, went his way.

NICOLA
2001

MARIAN HEMAR
1901-1972

KOSMOPOLITA
Fragment

Kosmopolita (1964) jest jednoaktówką radiową. Chopin popadł w kłopoty finansowe, przebywając w Wiedniu podczas wybuchu w Warszawie powstania antycarskiego w 1830 r. Odwiedza w związku z tym swojego austriackiego wydawcę Haslingera, który prosi go, aby zaniechał pisania utworów związanych z Polską i zaczął zarabiać komponowaniem popularnych w Wiedniu walców. Chopin jednak pisze wielką Etiudę rewolucyjną c-mol.

Wiedeń, poniedziałek 22 grudnia 1830

HASLINGER

Jam tutaj od miesiąca, skrycie, w całym mieście,
Zabiegał po swojemu, by panu nareszcie
Zrobić koncert w kamerze cesarza Franciszka...
Nie żałowałem na to prezentu, kieliszka,
Prywatnego obiadu czy kosztownej fety...
Tysiąc pańskich *Wariacji* – już licząc najskromniej –
Sprzedałbym w dzień po takim koncercie! Niestety,
Muszę o tym zapomnieć. I niech pan zapomni.

Taki koncert – toż byłaby dziś demonstracja
Antycarska. Ni cesarz, ni arystokracja
Polaka dziś nie poprze. Nikt się nie narazi,
Że się na niego poseł rosyjski obrazi!
O, proszę – tu, w szufladzie rękopisy pana –
Ja panu nie zataję: to tak napisana
Muzyka, że ja takiej od czasów Mozarta
Nie miałem tu! I żal mi, że dla mnie nie warta
Czasu ani atłasu, sztychu ni bibuły!
Rondo à la Polacca! – a to mi tytuły:
Polonezy!, *Krakowiak*!? toż mnie na policji
Mogliby wziąć na spytki! Jak to? Czy ja czasem
Umyślnie nie wydaję polskich kompozycji?!
Ja jestem tylko kupcem, a nie Mecenasem.

FRYDERYK

No więc – cóż... do widzenia –

THE COSMOPOLITAN
Extract

Kosmopolita (1964) is a one-act play for radio. Chopin is stranded in Vienna by the outbreak of the 1830 Polish Insurrection against the Czar. Poverty-stricken, he visits his Austrian publisher, Haslinger, who begs him to abandon "Polishness" and earn some money by writing popular Viennese waltzes. Instead, Chopin writes the great Revolutionary Etude in C minor.

Vienna, Monday, 22 December 1830

HASLINGER

All over town this month, I've been, discreetly
Exploring every avenue – completely –
In efforts to arrange for your admittance
To the Imperial Court. That doesn't cost a pittance!
I've lavished parties, dinners, gifts galore!
I'd sell a thousand of your *Variations* – more!
If once you played at Court... I much regret:
Already, I've forgotten it! You, too, had best forget!

Nowadays, your concert would be tantamount
To anti-Czarist action. Neither Emperor nor Count
Would back the Poles and wittingly incur
The anger of the Czar's Ambassador!
I've got your compositions in this drawer...
I won't deny it – I've not seen a score
To equal these since Mozart was on earth!
The pity of it is, they're just not worth
An atlas, etching – or a blotting-pad!
Rondo à la Polacca! It's too bad –
Polonaises, Krakoviaks and the rest –
The very names would land a publisher in jail!
Do you expect me to invite arrest?
I'm not Maecenas! I depend on sale.

FREDERICK

There's nothing more to say then, save – goodbye!

HASLINGER

Zaraz – jeszcze chwila –
Czekaj pan – jedno słowo. Niech się pan nie gniewa –
Jestem starszy od pana. Panie Fryderyku –
Pan siedzi w tym fotelu, w którym siedział Ludwik
Beethoven... i rozmawiał jeszcze z moim dziadkiem.
Mój dziadek tu zachwycał się *Appassionatą* –
Ja zza tych drzwi rozmowy słuchałem ukradkiem.

Niech pan będzie artystą, a nie demokratą,
Niech pan będzie artystą, a nie patriotą.
Niech pan będzie artystą – takim poliglotą,
Który mówi językiem muzyki – anielskim,
Nie polskim czy francuskim, ruskim czy angielskim!

Niech pan się raz odczepi od jednej Warszawy,
Od tamtych jęków, dymów, popiołów i kurzów!
Niech pan przestanie płacić za koszt cudzej sławy,
Za męstwo bohaterów, za tchórzostwo tchórzów!
Czy zawsze musi geniusz – z racji łaski Bożej –
Najdrożej za to płacić i cierpieć najgorzej?!
Co to pana obchodzi? Spójrz pan na to z góry!
Pan należy do świata – tak jak Mozart, który
był aniołem – nie Włochem ani Austriakiem!
Co panu więcej sławy i dumy przyczyni –
Że z pana może wyrość drugi Paganini?
Że pan będzie dla świata drugim Beethovenem?
Że pan będzie jedynym na świecie Chopinem?
Czy jednym wśród poległych Polaków – Polakiem?
Znacznie łatwiej paść w bitwie... lub machać bagnetem...
Niż skomponować suitę z pięknym menuetem!
Łatwiej nabić armatę lub strzelać z armaty,
Niż dać ludzkości jeden akt *Appassionaty*!
Dla pana to nieszczęście polskie jak trucizna!
Zostaw pan tę trującą szklankę nie dopitą!
Geniusz musi być większy niż jedna ojczyzna.
Być genialnym to znaczy – być kosmopolitą!...

HASLINGER

No, wait a moment! Don't be angry: listen!
You, Herr Chopin, are a younger man than I.
Beethoven once – in that chair – in this way,
Allowed my grandfather to have his say;
They were discussing the *Appassionata Symphony* –
I overheard them from the balcony –

Just be an artist! Hang democracy!
Just be an artist – not a patriot!
Just be an artist – be a polyglot
Of music and the tongue of angels speak!
Not Polish, English, German, French or Greek!

Break loose from Warsaw! Banish this obsession
With groans and ashes, gunsmoke and oppression!
Why for others' glory pay the price?
For heroes' valour and for cowards' cowardice?
Must ever genius, as by sacred right,
The cruellest pain endure? The bitterest spite?
What's it to you – above it all – apart
Belonging to the world, as did Mozart:
An angel – not an Austrian or Italian!
Will you win greater fame, a nobler place,
Remembered as the Paganini of your time –
A second Ludwig Beethoven sublime –
The only Chopin on the earth's broad face?
Or one dead Pole among a dead battalion?
It's easier to wield a bayonet
In war, than write a pretty minuet!
Simpler to load a gun and shoot it straight
Than for a great composer to create!
Poland's misfortunes are a poison-brew;
Just let this chalice pass – undrained – young man!
A genius is not one country's due –
A genius is – a cosmopolitan!

POMNIK NA WYSIEDLENIE FREDRY ZE LWOWA DO WROCŁAWIA

Fragmenty

[...]

Znaliśmy się. Znał wszystkich na lwowskim podwórku.
Pamiętam, że się do mnie uśmiechał niejako,
Gdy miałem pierwszy złoty pasek na mundurku
I na bakier włożyłem gimnazjalne czako.

Raz mnie widział, gdy niosłem w głąb Romanowicza
Pod peleryną kwiaty... mój miłosny aport.
Tam moja pierwsza miłość mieszkała dziewicza.
Nazywała się Hala. Halina Rapaport.

[...]

O Boże mój, po świecie rozglądam się wokół –
Którędy iść mi teraz, jak drogi nie zmylić,
Aby wrócić na tamten plac i przed ten cokół
I tak stać, zdjąć kapelusz i głowę pochylić?

Ale jego już nie ma na pustej ulicy,
Gdzie go gwiazdy szukają oczami złotemi.
W nocy, w mieście struchlałym przyszli bolszewicy
I wydarli go z bruku jakby drzewo z ziemi.

Nocą przybiegli zbójcy, było ich dwunastu,
I śpiącego na swoim placu go opadli,
I przemocą wydarli bezbronnemu miastu,
I jemu bezbronnemu jego Lwów ukradli.

Wysiedlili złom spiżu i milczący kamień
I zaorali po nim plac i bruk uliczny.
Stój teraz za granicą. W Wrocławiu się zamień
W tragiczny pomnik "Zemsty za ten mur graniczny".

[...]

MEMORIAL
FREDRO'S MIGRATION FROM LVOV TO WROCŁAW

Extracts

[...]
We knew eachother. He knew everyone.
I remember how he sort of smiled at me,
First time I wore the golden sash I'd won,
My school-boy's peaked cap tilted rakishly.

He watched me dart down Romanowicz street –
Love-sick retriever clutching flowers I'd bought
For my first, virgin sweetheart, as a treat –
Hala, by name – Halina Rapaport.

[...]

I peer about me in this labyrinth,
Wondering which way to go, what path to tread
Back to that square – to stand before his plinth,
Raising my hat and lowering my head!

The street is empty. He is lost to sight,
Whom stars with golden eyes yet looked to see.
In that stunned city, Bolsheviks at night
Roughly uprooted him – like some dead tree.

By night they came, twelve brigands without pity
Who grabbed him in his square, just dozing off –
Tore him by force from a defenceless city
And robbed the helpless poet of his Lvov.

Bronze and dumb stone they forced to emigrate,
Ploughed up his square, the paving stones and all:
In Wrocław now, let him commemorate
"Revenge for yet another Boundary Wall."

[...]

Pomnik najznakomitszego polskiego komediopisarza hr. Aleksandra Fredry (1793-1876) pierwotnie znajdował się we Lwowie, centrum rodzinnych stron pisarza i miejscu jego pierwszych sukcesów teatralnych. Po II wojnie światowej i przejęciu wschodniej części Polski przez ZSRR, pomnik został przeniesiony do Wrocławia na zachodzie Polski. W przedstawionym tutaj wyjątku swojego wiersza śp. Marian Hemar – satyryk, poeta i autor tekstów piosenek – urodzony w 1901 r. we Lwowie, gdzie także on rozpoczynał swoją karierę literacką, snuje rozważania o przymusowym "wysiedleniu" pomnika. Odwołanie się w ostatnim wersie do "Zemsty za ten mur graniczny" przypomina żądanie w 1833 r. carskich cenzorów warszawskich rozszerzenia tytułu tej najsławniejszej komedii Fredry. Uznali oni bowiem, że pojedyncze słowo "zemsta" jest zbyt prowokacyjne, aby samo mogło widnieć na afiszach teatralnych i w programach.

Marian Hemar

The statue of Poland's most celebrated comic dramatist, Count Aleksander Fredro (1793-1876), originally in Lvov, then capital of his native province and scene of his first theatrical triumphs, was moved after World War II and the Soviet annexation of eastern Poland, to Wrocław in what is now western Poland. In this extract, the late Marian Hemar – satirist, poet and song writer - born in Lvov in 1901, where he too began his literary career, reflects on Fredro's enforced "migration". The reference in the last line to "Revenge for yet another Boundary Wall" recalls how in 1833 the Czar's censors in Warsaw insisted on expanding the title of Fredro's best-known play, because they thought the single word "Revenge" would look too provocative on playbills and programmes.

JANUSZ MEISSNER
1901-1978

OSTATNICH PIĘCIU

Krwawił się wrzesień na Okęciu...
Pamiętam, to był trzeci lot,
Bo nas zostało tylko pięciu:
Leśniak, ja, Sroka, Stach i Prot.

Pięciu pilotów w dywizjonie,
Coś w tydzień! Może – w dziesięć dni
Reszta już tam – po drugiej stronie
I w grobie Polska im się śni...

Robiliśmy po trzy wyprawy –
(nas było pięciu – zadań sto!)
Ale już mniejsza o te sprawy,
Bo przecież jakoś nam to szło.

Ten trzeci lot – z któregoś września
Zaczął się tak jak każdy lot:
Na lewo – Stach, na prawo Leśniak,
Pośrodku – Sroka, ja i Prot.

I start! Błysnęło słońcem w skręcie,
Spojrzałem w tył – na ślady kół,
Potem minęliśmy Okęcie
Nad dymem, co się w dole snuł.

A potem – prosto – kurs na Kutno.
Fletner powietrze z gwizdem tnie,
Melodię w gwiździe słychać smutną –
Tango czy fox-trot? Licho wie.

Pulsuje strzałka w manometrze,
Licznik obrotów lekko drży,
Czuć spalenizną w górnym wietrze,
A na zachodzie coś się skrzy.

THE LAST FIVE

Blood flowed at Okęcie that September –
Must have been sortie Number Three.
Only five of us left, I remember –
Sroka, Stach, Leśniak, Prot and me.

The last five pilots living still;
All in a week – ten days, let's say –
The rest of the squadron were... over the hill –
Dreaming of Poland where they lay.

We flew three sorties each of us
(five men for five score missions!)
Enough of that! Don't want to fuss –
We coped in those conditions.

I've forgotten the date, but sortie Three
Began like any other flight:
In the centre, Sroka, Prot and me,
Stach left, and Leśniak right.

Take-off! Dazzled by sun as we bank;
Glance back at the skid-marks below;
Okęcie falling behind on our flank
With its smoke-haze spreading slow.

Then straight ahead – for Kutno bound.
The wing-struts, whistling, cleave the air,
Making a sad, melodious sound –
Slow fox-trot? Tango? Couldn't swear...

Needles quivering, counters turning –
Pressure, engine revs, and fuel –
Even this high – a smell of burning
Fire to the west, like a sparkling jewel.

W silniku luźny zawór dzwoni,
Wytrzyma jeszcze? – Dałby Bóg!
Z daleka widać jak na dłoni
Kieraty skrzyżowanych dróg.

To tam. Coś błyska wciąż jak igła
Na horyzontu mętnym dnie,
A może słońce lśni na śmigłach?
Jeszcze pięć minut... jeszcze dwie...

Przestwór spokojny – rzekłbyś: drzemie;
Lecz w dole – Cóż to? Nagle szał
Opętał kolorową ziemię,
Spowitą w dym tysiąca dział!

Tam była bitwa. Tam Kutrzeba
Za pułkiem w ogień rzucał pułk.
Niemiecką krwią nasiąkła gleba,
Gdzie on z bagnetów obręcz skuł.

– Na dół: I spokój, bracie, przyzwij,
Niechaj nie zadrga żaden nerw,
Atak pancernych trzech dywizji
Rozwija się bez luk, bez przerw.

W huraganowych wiatru pieśniach
Powietrzny bój – *bataille de l'air;*
Na lewo Stach, na prawo Leśniak,
Ja, Sroka, Prot – od siebie ster!

Tam czołgów sto, a tutaj nasi...
Jakiś batalion ogniem pruł,
Nad nim ostatnich pięć Karasi
Gnało na pełnym gazie w dół.

To trwało krótko. Trzy sekundy,
I potem – huk! – Pięć serii bomb
Rąbnęli strzelcy i – do rundy,
Na siebie ster! A w dole kłąb,

One engine valve sounds loose! Keep calm;
Please God, it'll hold and we'll get by!
A long way off, but plain as my palm,
A harness of cross-roads catches the eye.

That's it! A needle-flash, non-stop,
On the dim horizon's far-off shore –
Or was that sunlight on the prop?
Five, four, three, two – one minute more!

There's peace in space, untroubled skies;
Below, what's that? Swift frenzy stuns
Earth's patchwork surface. Now it lies –
Smoke-swaddled by a thousand guns!

Battle's joined. Kutrzeba's units,
Into the inferno thrust.
While German life-blood, shed by bayonets,
Irrigates our Polish dust.

Down we go, lads! Let's get cracking!
Nerve must not fail, nor finger shake!
Three Panzer divisions are attacking –
Wave after wave, without a break!

The wind screams stormy songs of flight –
Of aerial combat. Look round, quick!
Stach on the left and Leśniak, right –
Prot, Sroka, me – then, forward stick!

A hundred tanks against our lot!
Plus the last five planes still fit to fly;
Our troops were firing all they'd got
As we swooped, full-throttle, from the sky.

We weren't too long, three seconds flat,
Then – boom – five sticks of bombs let go.
"Bombs gone!" the aimer cried, with that –
Stick back – and up! Smoke down below.

Niemieckich czołgów zbił się zator
I buchnął ogniem jako stos,
Mierzyłem już przez kolimator,
Gdy strzelec wrzasnął: – Lewo w skos!

Spojrzałem w lewo: tam od flanki,
Gdzieś spojrzał i jak sięgał wzrok,
Dywizjonami pełzły tanki,
Jakby się czołgał szary smok.

Przewalił się przez gaj zielony
I teraz toczył z nagich wzgórz
Kolumnę za kolumną – człony,
Miotąc za sobą dym i kurz.

Dopadliśmy go. Nowa seria
I karabinów długi trel.
(Już grzała do nas artyleria
Przeciwlotnicza – OPL.)

I jeszcze jeden nawrót niski!
I jeszcze jeden ostry skręt!
Rwą się dokoła nas pociski,
A w uszach świszcze wściekły pęd

Nagle – to trwało mgnienie oka,
Lecz mnie za włosy targnął strach:
Zwalił się w dół z maszyną Sroka,
A za nim – Leśniak, Prot i Stach.

Widziałem, jak kolejno giną:
Sroka się prosto w ziemię wrył,
Ślizgiem na skrzydło Leśniak spłynął,
A Prot na ogon runął w tył.

Stachowi granat zerwał stery,
Korkociąg: jeden, drugi zwój –
I koniec. Tak zginęły cztery
Karasie. Został tylko mój..

The German Panzers were bunched tight
And, bonfire-swift, burst into flame.
I'd barely re-aligned my sight
Before the observer's warning came:

Skipper, look left! Way, on our flank –
Stretching as far as the eye could strain –
A grey-scaled dragon – tank after tank –
Came trundling towards us, over the plain.

It flattened a coppice with its weight
On through the naked uplands curling –
Column by column, articulate;
Around it, smoke and dust unfurling.

We dived upon it, loosed a stick –
Machine-guns carolling in attack;
Then we began to feel the kick
Of German anti-aircraft – Flak.

We managed another low-level run –
With a skin-tight turn, pulled clear:
The smoke-puffs targeting each one,
And the shriek of our speed in each ear!

It happened like a flash of light:
Cold terror seized me on the spot –
First, down went Sroka with his kite,
Followed by Leśniak, Stach and Prot.

I saw how each of them must have died:
Sroka's nose hit earth a crack,
Leśniak, wing-first, slid on his side,
Prot, tail-first, on to his back.

A shell-burst severed Stach's controls,
He corkscrewed down – so, one, two, three,
Four more planes gone, and a few more Poles –
The last survivors: mine – and me...

Sam go spaliłem na granicy
W parę dni później, kiedy nas
Zaszli od tyłu bolszewicy
W odwrocie... Płonął długo... Zgasł...

Potem Rumunia i ucieczka:
Belgrad, Rzym, Turyn i Modane.
Jakaś milutka Francuzeczka
Na stacji dała mi *tisane*.

Pić mi się chciało. Dużo wina
Pijałem później, ale tak
Nic Francji mi nie przypomina,
Jak ów *tisane* gorzkawy smak.

Nie było dla nas samolotów...
Palił nas wstyd i dusił gniew,
Bo przecież każdy z nas był gotów
Za sprawę Francji oddać krew.

Ale – trzymano nas w rezerwie.
Trzymano nas za długo, bo
Wreszcie fatalny nadszedł czerwiec
I – pękła linia Maginot!

Dość wspomnień złych. Na nowej karcie
Zapisujemy nową wieść:
Po locie lot i start po starcie –
To Royal Air Force krótka treść.

Gdy bomby lecą gdzieś z wysoka
Na Norymbergę, Wrocław, Kiel,
Kiedy się statki palą w dokach,
Płoną hangary w Brest i Lille,

Gdy się w Hamburgu domy walą,
Kiedy ze strachu Berlin drży,
Naszego dywizjonu nalot
Idzie przez chmury i przez mgły!

I, myself, put a match to mine
At the border... The Bolshevik tide
Had cut off our line of retreat by design...
It blazed quite a while... then died...

So to Rumania, then emigration:
Belgrade to Rome, Turin, Modane,
Where a charming French girl at the station
Offered me a hot *tisane*.

I needed a drink and was later wined
But nowadays, no vintage can
So vividly call France to mind
As the bitter taste of a *tisane*.

There were no planes for us to fly:
We choked with rage and blushed for shame
All of us being prepared to die,
Defending France in freedom's name.

We were being held "in reserve", they said;
They waited a shade too long, if so!
Came that fatal June and panic spread:
The Germans had breached the Maginot!

Enough sad memories! Turn the page!
Here, let's begin a fresh report:
Flight after flight: take-off, engage!
We're with the RAF, in short!

Bombs are dropping round the clock
On Breslau, Nuremberg and Kiel,
Ships are set alight in dock –
Hangars blaze in Brest and Lille.

While in Hamburg buildings crumble,
Berlin palpitates with dread;
Raiders from our squadron rumble
Through the cloudbanks overhead.

Dzisiaj brytyjskie Wellingtony
Mają na skrzydłach polski znak,
Nasz kwadrat biały i czerwony...
A przecież tamtych wciąż mi brak...

I nieraz, kiedy nocą ciemną
Dywizjon rusza w trudny lot,
Myślę, że lecą gdzieś nade mną:
Leśniak i Sroka, Stach i Prot.

Widzę ich cienie, pięć Karasi
Jak wtedy, w tych wrześniowych dniach
Lecimy znowu razem – zda się:
Ja, Leśniak, Sroka, Prot i Stach.

Edynburg, 1941 r.

Janusz Meissner

British Wellingtons we're flying –
On their wings, the Polish square –
Red and white – identifying...
How I wish they could be there...

Often, on a night pitch-black,
Embarking on some dicey mission,
Leśniak, Sroka, Prot and Stach
I sense above me – in position.

I see their ghosts; I see each plane;
Those far September days I see;
And we're together, once again
Sroka, Stach, Leśniak, Prot – and me...

Edinburgh 1941

2001

ALEKSANDER JANTA-POŁCZYŃSKI
1908-1974

ŚCIANA MILCZENIA

Mówią: lepiej nie pytać dziś już o nikogo,
że żyją – niechaj wam to jako znak wystarczy,
że czekają, choć o tym powiedzieć nie mogą,
każdego z nas, by wrócił z tarczą lub na tarczy.

Rozszerza się milczenie, granica rozległa
jak ściana, poza którą kraj czeka i tęskni,
więzienny mur, co słucha, a gdzie każda cegła
pochłania echo męki niby spowiedź klęski.

I nasyca się wolno bólem i rozpaczą
za tych, co już nie mają do wytrwania mocy,
za tych, co już nie wierzą, póki nie zobaczą,
mieszkając na dnie trwogi, niewoli i nocy.

A im większa jest przepaść, im głębsze rozdarcie
i mrok bardziej bezgwiezdny, a czas śmierci szerszy,
tym niezłomniej stać muszą i czekać na warcie
ludzie czynów wysokich, bo czyn jest najpierwszy.

Ale się dziś zań biorą pochmurni i niemi,
milczenie jak grób rośnie w głąb naszego domu,
to jest język spiskowców warszawskich podziemi,
to jest głos, który walczy, cóż że po kryjomu?

Oblicze kryje maska, ściśnięte są wargi,
poza nimi dźwięk tylko przelewa się próżny,
niebezpiecznie się dzielić wyrazami skargi,
kiedy nikt nie chce łaski, nie czeka jałmużny.

Bo nam prawo z tej męki rośnie pełne gniewu,
nie słów, a choćby nawet brzegi rwały cicho:
runie ściana milczenia pod naporem śpiewu
siły naszej i męstwa. Tak padło Jerycho.

Aleksander Janta-Połczyński

THE WALL OF SILENCE

Better, they say, these days no news to seek
of who's alive; suffice the promise made:
they wait for us, though this they may not speak,
to come with shield – or on the buckler laid.

Silence extends its kingdom's distant bound;
a bourne, past which our country waits, entreats:
a prison wall whose hearkening bricks the sound
of groans devour, as though they spelt defeats.

Pain and despair are amply satisfied
in those who lack the strength to last the fight,
in those who doubt till first they have descried
and live in fettered depths of fear and night.

The chasm grows, the gorge yet deeper yawns –
the dusk more starless, wider spread death's pall;
more steadfast still, most wait until day dawns,
the doers of great deeds – for deeds are all.

Some act already – dumb, with hooded eyes;
their silence fills our house, as though a tomb –
that tongue of Warsaw's underground of spies,
the voice of struggle, stealthy in the gloom.

Their faces hid by masks, lips tight compressed;
For empty sounds alone escape the dumb...
Dangerous to share complaints or to protest
When none begs favours, nor expects a crumb.

Right shall be ours, in anger at our wrong.
No words – though even these might conquer slow –
Will smash the wall of silence, but our song
Of strength and courage... Thus, fell Jericho.

NICOLA

HENRYK LIPKO-LIPCZYŃSKI

TRZECI ROK

Już dopala się lato: dni pożółkły, poschły,
na polach pogubione błąkają się kwiaty,
jarzębina spłonęła, skrzepły siwe osty –
myśl jak owoc opada i pachnie jak lato.

Popieliły się sierpnie, lecz to było prościej:
słońce grało zenitem na obłocznych kręgach;
gdy ptaki lot swój brały do zamorskich gościn,
ty wierzyłeś w powroty na błękitnych wstęgach.

Pamiętasz? – gdzieś pod lasem dzwonił złoty łubin,
wieczorami za wioską srebrne śmiechy jeszcze...
i znów dawność się wlecze i w dymach się gubi,
rozdmuchuje popioły na wrześniowym wietrze.

Dzisiaj obca Demeter suche kruszy zioła
i jakby znała prawdę, uchodzi przed wzrokiem,
granice znacząc śladem. Może łatwiej zgoła
iść za latem, co ginie razem z trzecim rokiem.

Bezszelestnie spadają dni mijanych kartki,
czas pleśnieje, narasta, warstwami się ściele,
jesień schodzi powoli i pochyla barki...
Jak tu w wiosnę uwierzyć i w brzóz nową zieleń?

Jakąś nocą śródgwiezdną, zastygłą zwątpieniem,
gdy życie się nade mną jak słowo zamknęło,
myśl pożegnała lato i niepostrzeżenie
zgasła jak w ciszach nieba samotny meteor.

THE THIRD YEAR

Summer wanes, the days have dried and yellowed;
lost in the fields, the withered flowers are vagrant.
The service-tree is burnt, grey thistles welded;
thoughts, like the fruit, fall – like the summer – fragrant.

Past Augusts turned to dust, but that was easier:
the sun played with its zenith set in cloudy rings;
when birds took flight to neighbours overseas,
you thought they'd come back on blue ribbons winging.

Remember? In the woods, a golden lupin chimed.
At evening, near the village, tinkling silver laughter.
Once more, the past has flown to hide in misty time,
the ashes on September breezes wafting...

Today an alien Demeter crushes dried up herbs:
as though she knew the truth, departs before our eyes,
her path fresh boundaries marking. Easier perhaps it were
to walk in wake of summer, with this third year dying.

Noiseless, the cards of played out days are dropping.
Time moulders, swells and beds on layered pallet.
Autumn goes forth with slow steps, shoulders drooping;
who could believe in Spring, birch – fresh green apparelled?

One starry-glimmering night, made chill with doubt,
when life above me, like a word, shut tight,
thought bade farewell to summer and went out –
unnoticed – like some lonely meteor in Heaven's quiet.

Wiersz ten po raz pierwszy ukazał się w niewielkim tomiku poezji Henryka Lipki-Lipczyńskiego zatytułowanym 'Brzozy', który wydano w nicejskiej filii oficyny Samuela Tyszkiewicza w 1943 r. Jest to pierwszy i – z tego co dotychczas wiadomo – jedyny opublikowany tom poezji tego autora. Zawarte w nim utwory pozwalają sądzić, że powstały we Francji w 1942 r. Pierwotnie zatytułowany 'Pożegnanie lata', wiersz został w roku 1943 wydrukowany w londyńskich "Wiadomościach Polskich" (nr 163) pod tytułem 'Trzeci rok'. Niestety, nie udało mi się dociec, kiedy autor się urodził ani czy przeżył wojnę.

Henryk Lipko-Lipczyński

This poem first appeared in a slim volume of verse by Henryk Lipko-Lipczyński, entitled 'Brzozy' ('Birches'), published by Samuel Tyszkiewicz at Nice in l943. It was the author's first and – so far as is known – only published work. The poems are all said to have been written by him in France in 1942. Originally called 'Pożegnanie lata' ('Farewell to Summer'), the poem translated here was printed in 1943 in "Wiadomości Polskie" (London, No 163), under the title 'Trzeci rok' ('The Third Year'). Sadly, I have been unable to discover when the author was born or whether he survived the war.

MARTA RESZCZYŃSKA-STYPIŃSKA
1905-1995

OŚWIĘCIM

Jest takie słowo, jest tragiczne słowo
jak kamień ciężkie, jak rana bolące
i zapisane na zawsze w pamięci...
Gdy je wymawiasz, więźnie w gardle głos –
    słowo jak w serce cios...
        Oświęcim!
A na dźwięk jego wszystkie matki bledną
w śmiertelnej trwodze i truchleją żony
i ślepa groza oddech w piersi dławi...
W tym krwawym słowie każda zgłoska krwawi,
każda litera aż ocieka łzami...
Powtórz je jeszcze drżącymi wargami,
powtarzaj ciągle - w najcichszy szept zamień,
ukryj je dobrze, rzuć w serce głęboko,
aby ci serce stwardniało jak kamień,
i czekaj. Czekaj! Już zbliża się chwila,
gdy zrozumieją, że oko za oko...

Przychodzi nagle wiadomość z Pawiaka,
że wywieziony! Świat w oczach się kręci...
Dni beznadziejnej, niezmiernej udręki...
Znękane serce pragnie tak niewiele:
wiedzieć, że żyje! Więc krzyżem w kościele
leżysz – i zimne kamienie całujesz,
modlisz się, wierzysz, że Bóg się zlituje...
Wreszcie nadchodzi list, stempel: Oświęcim.
Pisze, że zdrów jest, że dobrze się trzyma,
że można przysłać mu szalik włóczkowy...
Od łez gorących ślepymi oczyma
chcesz dojrzeć myśli, co w słowach się kryją.
Każdy przecinek ma tyle wymowy!
"Jestem zdrów"...Chyba ...już go tam nie... biją?!

Marta Reszczyńska-Stypińska

AUSCHWITZ

A word there is, a single word so tragic –
heavy as stone and painful as a wound,
inscribed in memory for ever...
Say it! Your throat contracts before you start;
        A word that stabs the heart...
                Auschwitz!
At sound of it, all mothers' faces pale
and wives are fit to faint with mortal fear;
blind terror robs the lungs of every breath...
Each syllable of that blood-stained word spells death –
A tear from every letter drips...
Repeat it, yet again, with trembling lips,
Whisper it ceaselessly in undertone,
And in your heart, deep-hidden, let it lie
until the heart itself grows hard as stone.
Wait, just wait! The time is drawing near:
when they will learn what's meant by eye for eye...

Suddenly comes word from Pawiak prison:
They've sent him to the camp! Your senses swim...
Days of immeasurable anguish and despair...
The tortured spirit craves - not overmuch –
only to know that he's alive! You go to church,
lie prostrate there and kiss cold stone,
believing as you pray God will have mercy...
At last, a letter comes, the postmark: Auschwitz.

He says he's well and managing all right
He asks to have his woollen muffler sent.
Eyes blind with scalding tears seek second sight
Of thoughts concealed, for simple words too grim;
commas cry out...but who can tell what's meant?
I'm well ...pray God that means...they haven't beaten him!

Jak bardzo sercu nadziei potrzeba,
jak nikły promyk na nowo ją wskrzesza:
paczka przyjęta - więc wzmocni się trochę...
Chleb więźnie w gardle. Jemu tam brak chleba!
Nagle depesza: "można zabrać prochy..."

Jest takie słowo, jest tragiczne słowo.
Jak trudno ukryć błysk oczu złowrogi,
maską spokoju twarz zbladłą osłonić
i znów codzienny trud podjąć na nowo...
Jak ciężko czekać pod łuną pożogi,
aż chwila wielkich wyroków się ziści!
Jak gorzko znosić poniżenie nasze...
Jak trudno dźwigać brzemię nienawiści!
Za młode siły, przemocą złamane,
za śmierć, za mękę nieludzką więzienia
niech tysiąckrotnie tak hojnie przelana
krew spadnie na was i na syny wasze!
Do dziesiątego będzie pokolenia
ścigać was jeszcze i karać gniew Boży!
Drżyjcie, bo bliska już sądu godzina!
Już morzem bólu przepełniły czaszę
łzy każdej matki, która was przeklina!
Krew nasza na was i na syny wasze!

Warszawa, 1942r.

For want of hope your heart's half-dead,
when suddenly, the fading gleam's revived:
a parcel's reached him - every crumb is precious.
Bread chokes...You know that, there, he has no bread!
A sudden telegram: " You may collect his ashes..."

A word there is, a single word so tragic.
How hard it is to hide eyes' baleful gleam,
an ashen face conceal with mask of peace –
the daily round resume, as though by magic ..
How hard to wait amid the flames of war
till they are judged and hear their fate!
How bitter to endure humiliation...
to bear the awful burden of our hate!

For all youth's strength by tyranny destroyed,
for death, inhuman torture, camps and gaols,
may all that blood incontinently shed
be on your heads a thousandfold and on your sons!
Ten generations long, be you pursued
and punished by the fearsome wrath of God!
Tremble, the hour of judgement is at hand!
Each mother's wailing-urn now overruns –
a sea of tears they've shed while cursing you:
Our blood on you and on your sons!

Warsaw, 1942

ZAKŁADNICY

Stoi przed wami śmierć. Jeście sami.
Myślicie: jutro... Jutra już dla was nie będzie.
Odgrodzeni więziennymi murami,
nie wiecie, że w mieście jest czerwono,
że plakaty na murach rozlepiono,
że biją w oczy te płachty jaskrawe
jak sztandary hańbiące zdeptaną Warszawę.
Tłum przed nimi zastygł przerażony:
Zakładnicy będą rozstrzelani...

W zgiełku ulic chrypną megafony:
Zakładnicy będą rozstrzelani!!
Nie płaczą matki i żony, zbrakło im łez.
Ojczyzna po Was nie płacze.
Milczy, jak Niobe skamieniała.
Tylko modlitwa wam została,
więc módlcie się za waszych katów...
A my tu przysięgamy światu,
Bogu i ludziom, i piekielnym mocom,
chociaż jesteśmy bezbronni, spętani,
że zemsta bliska już i straszna będzie!
Plakaty, plakaty krzyczą wszędzie:
Zakładnicy będą rozstrzelani!!

Myślą i sercem wciąż jesteśmy z wami.
Wiemy, łzy nasze nic wam dać nie mogą.
Myślcie o Polsce przed ostatnią drogą,
o wielkiej Polsce, której nie doczeka żaden z was...
O tej Polsce, w którą każdy wierzy,
dla której marli nasi bohaterzy,
za którą tyle jeszcze krwi popłynie!

HOSTAGES

Death confronts you. You are on your own.
Think! Tomorrow...But, for you, there won't be any.
Cut off, enclosed by prison walls of stone,
you cannot know the city's crimson face –
the placards posted everywhere there's space –
eye-catching with their blood-red proclamation:
banners that shame Warsaw's humiliation.
Before them, people gather, stunned with shock:
The hostages will be executed...

Above the traffic's hum, loud-speakers blare:
The hostages will be executed!!
Mothers and wives won't weep, they've no tears left.
Even the Motherland won't cry for you;
she's silent, like Niobe, turned to stone.
There's nothing left for you but prayer alone.
So pray! Pray for your executioners, while we,
here, vow before the world most solemnly –
to God above, mankind and the infernal powers –
defenceless as we are and still in chains –
vengeance most terrible is coming; that, we swear!
Clamouring posters, placards everywhere:
The hostages will be executed!!

In heart and soul, we're with you as you wait.
We know our tears can't help you brave the end.
But think of Poland, as your way you wend –
those final steps – the Poland, you'll not live to see –
the land in which we trust and take our pride;
Poland for which our heroes fought and died,
for which so much more blood must still be spilled!

Takich uczuć nie można wyrazić słowami...
Lecz wiedzcie, sercem my będziemy z wami,
w tej coraz bliższej najcięższej godzinie.
Myślicie: jutro, gdy tylko noc minie...
Kolor plakatów czerwony krzyczy z murów
krwawymi plamami
W zgiełku ulic chrypną megafony:
Zakładnicy będą rozstrzelani...

Warszawa, 1942/43

Feelings so deep mere words cannot convey...
Know that our hearts are with you as you pray,
The closer, the heavier weighs that dawn, your last...
Think: tomorrow... would this night were past...
From every wall the crimson posters scream ...
blood-stains on display.
Above the traffic's hum, loud-speakers blare:
The hostages will be executed...

Warsaw, 1942/43

W WIELKOPOLSCE

Nad rozległe równiny szerokie,
nad mrok lasów, nad szklistą dal wody,
pochyliło się niebo głębokie
modrą ciszą bezchmurnej pogody.
Drzemią pola i łąki zamglone,
siwe drogi w szeregu brzóz długim...
A u płotów śpią wierzby zgarbione.
A wśród łąk srebrem wiją się strugi.
Kiedyś puszcza odwieczna szumiała,
na tej ziemi rosnąca, prastara.
Tylko ptaki i roje pszczół grały,
i wiatr szeptał w omszonych konarach.
Na ogromnych bagniskach bezdennych,
po osiedlach, wśród grząskich moczarów
rosły w ciszy wraz z puszczą legendy,
bajki wierzeń pradawnych i czarów.
Mrok podpełzał gęstwiną dębową,
wśród ostępów przemykał zwierz dziki
i co roku w zaroślach na nowo,
młodą wiosnę budziły słowiki.
W niedostępnych osadach siedzący
zabobonny kmieć, z puszczą zrośnięty,
słuchał szumów gęstwiną płynących,
w ciepłej woni dziewanny i mięty...
Czas jak woda, upływał po trochu,
dzień za dniem gasł zachodem czerwonym,
Wilkołaki czaiły się wokół,
Płudnice wabiły i gnomy...
Ludzie żyli przez lata i wieki
w cieniu borów, w prostocie piastowej.
W uroczyskach, w dziedzinach dalekich
trwali starzy, słowiańscy bogowie.
A dziś w jezior lustrzanych błękity,
tam, gdzie szumiał bór pieśni dawnymi,
na te same zachody i świty
patrzy Chrystus, Gospodarz tej ziemi.

Marta Reszczyńska-Stypińska

IN WIELKOPOLSKA

Above these plains so vast, stretching so far –
the twilit woods and waters' glassy sheen –
silent and blue, with not a cloud to mar,
bending low, the heavens lean.
Hazy fields and mead in slumber wrapped,
serried birch trees long grey alleys trace...
hunchback willows by the fences trapped
drowse amid fields where streams are silver lace...
Here, once, primeval forest soughed and swayed
above the richly sprouting soil age-old,
where only swarming bees and swallows played
and moss-draped branches whispered in the wold.
Among vast swamps, depths bottomless,
and slimy bogs and lonely settlements,
flowered in silence, with the wilderness,
tales of primordial beliefs, spells, weird events.
Dusk would sidle up and shroud each oak,
wild creatures slink through forest glade and grove.
But every year anew, the thickets woke
to fresh young spring, with nightingales above.
Sitting in lonely hovels out of reach,
the superstitious peasants, forest bred,
would listen to the tree-giants' rustling speech,
sniffing the scent by mint and mullein spread.
Time, like water, trickled day by day –
sunset's crimson flame proclaiming night.
Prowling werewolves lay in wait for prey.
Folk were lured by goblin, gnome and sprite...
For years and centuries, in forest gloom
and primitive simplicity men thrived,
while in dark, sacred places, shrine and tomb,
the ancient Slavic deities survived...
No more... On lakes, blue-tinted by the skies,
where once the forest breathed primeval songs,
on those same sunsets and each new day's rise,
Christ now looks down. To Him this land belongs.

LEGENDA O MATCE BOSKIEJ

W małym, wiejskim, kościołku, który wrastał powoli
w ziemię, w cieniu lip starych i szumiących topoli
była z dawna cudowna, jak legenda powtarza,
Matka Boska z Dzieciątkiem - u bocznego ołtarza.
Stała, tuląc w ramionach nieruchomych swe dziecię,
w jego liczko wpatrzona, niewiedząca o świecie,
pochylona i cicha. Czas koło niej przepływał,
stała sobie lat wiele, uśmiechnięta, jak żywa.

Nowy kościół był we wsi. W nowym co dnia dzwoniono.
Stary ciszą i pleśnią dawno porósł zieloną,
siwym pyłem, mchem gęstym co już przysiadł u proga;
zapomniany przez ludzi, może nawet przez Boga,
który w nowym kościele złoceniami przybranym
miał stubarwne witraże i huczące organy –
słuchał stary kościołek szeptu świtów różowych,
długich, ptasich litanii i pacierzy lipowych.

Aż raz ciszę słoneczną nasyconą błękitem
zbudził łoskot daleki. Znalazł echo ukryte;
zahuczało coś górą, zaświeciło srebrzyście,
posypały się nagle gęstym deszczem z drzew liście,
szyby brzękiem dźwiękliwym uderzyły w płacz szklany,
rozleciały się gonty nagłym wichrem zerwane
i jak kamień rzucony w głębię studni bezdennej
chlusnął raptem do wnętrza oślepłego blask dzienny.

Stary kościół dygotał spróchniałymi ścianami,
pył się sypał, posadzkę wydeptaną tynk plamił,
grzmot uderzał co chwila w ciemnych sklepień ramiona.
Drżąc tuliła Dzieciątko Matka Boska strwożona.
Czy to burza tak huczy? Czy to niebo tak płonie?
Ziemia jęczy, strop w ogniu, dym głąb nawy przesłonił...
Łoskot...Ziemia jak ongiś aż do głębi zadrżała:
dokonało się. Łuna krwią niebo zalała.

THB LEGEND OF MARY, MOTHER OF GOD

There was once a little wayside country church,
long set mid ancient limes and whispering birch,
on whose side-altar, legend claims, there stood
a miraculous Madonna, carved in wood.
Her motionless arms cradled the Holy Child
and, gazing raptly into His face, she smiled –
unmindful of the world, untouched by time –
her radiant, life-like features still sublime.

They built a new church. Bells rang every day.
The old church sank into silent, green decay.
Dust and thick moss covered the floor none trod.
Forgotten it was by man, even perhaps by God,
who, in His new church, fresh tricked out in gold,
Had stained-glass windows and an organ bold...
The old church heard dawn's whispered serenade:
The birds sang matins and the lime-trees prayed.

Until the sunny silence of skies steeped in blue
Was shattered by a distant crash, whose echo grew.
Something roared overhead, a silvery flash that passed;
cloudburst of leaves from branches stripped by blast.
Smashed window-panes chimed in with glassy hail;
slates went flying, snatched as by a gale,
while, like a stone dropped in some deep dark well,
inside the blinded church, broad daylight fell.

The crumbling old church walls shuddered and rocked,
dust rose, the moss-clad floor was plaster-pocked;
fresh thunder-claps dislodged the vaulted stone.
Hugging her Child in fear, God's Mother stood alone.
Could storm so rage? All heaven so ignite?
Earth groans, roof burns, smoke hides the nave from sight.
One more rumbling crash that shakes Earth's core:
It is consummated... heaven streams with gore.

Wyszła Matka Bolesna z rumowiska czarnego
nie znalazła wśród gruzów dzieciąteczka swojego
Jakże teraz stać będzie na zbroczonej krwią ziemi
sama jedna, żałosna, z ramionami pustymi?
Jakże zdoła pocieszać ludzi pełnych udręki?
Gdyby mogła odnaleźć rąbek Jego sukienki,
gdyby chociaż ten strzępek modry dłonie tuliły,
to by było lżej wytrwać i moc znaleźć i siły...

Więc szukała wśród zgliszczy i szukała bez końca,
aż noc spadła na ziemię mrocznym kirem szumiąca...
Wtedy poszła spłakana i śmiertelnie strudzona
między lipy, kalekie podnoszące ramiona,
gdzie na trawie zdeptanej za kościołem zburzonym
leżał żołnierz - w gwiaździstą ciszę nieba wpatrzony...

Gdy świt chmury na wschodzie umalował czerwono
stała znowu na gruzach z głową nisko schyloną
i munduru strzęp, który śmierć skrwawiła przedwczesna,
w łzach do serca tuliła Matka Boska Bolesna.

Kraków, 1939.

Our Lady of Sorrows crept from the charred remains.
No trace of the Child she found despite her pains.
How can she now stand in this blood-stained waste,
alone and grieving, nought in her arms embraced?
Tormented souls - how can she comfort them?
Could she but find a scrap of His garment's hem –
one sky-blue strip of cloth to nurse, she might
more easily her strength regain, outlive her plight.

In vain, she scoured the ruins, searched them all
Till darkness fell and spread night's rustling pall...
In tears and tired beyond belief, she walked to where
the lime-trees raised their crippled arms, now bare.
On trampled grass, behind the ravaged church, lay dead
A soldier - eyes on the star-lit heavens overhead...

When sunrise lit the east with crimson glow,
Once more, she stood in tears, her head bent low,
hugging a shred of uniform from one, all whose tomorrows
death had untimely snatched... Our Lady of the Sorrows.

Kraków, 1939